LA VISION DES ANDES

JAMES REDFIELD

James Redfield

La Vision des Andes

POUR VIVRE PLEINEMENT
LA NOUVELLE CONSCIENCE SPIRITUELLE

Traduit de l'américain
par Yves Coleman

ÉDITIONS J'AI LU

Pour tous ceux qui conservent la Vision

Titre original :

THE CELESTINE VISION

REMERCIEMENTS

Beaucoup d'hommes et de femmes ont guidé l'évolution de *La Vision des Andes* — et il m'est impossible de tous les remercier personnellement ici. Mais je dois au moins mentionner John Diamond et Beverly Camhe pour leur sens instinctif de la stratégie; John Winthrop Austin pour ses recherches incessantes; Claire Zion pour son travail très soigneux d'éditrice; et Salle Merrill Redfield pour son soutien sans faille. Et surtout je voudrais remercier les âmes courageuses qui, jadis et aujourd'hui, ont fait éclore les vérités qui stimulent notre prise de conscience.

PRÉFACE

Observons les transformations

Inutile d'invoquer le mystère du prochain millénaire pour nous convaincre que la conscience humaine est en train de changer. Pour ceux qui ont un regard aiguisé, les signes sont omniprésents. Les sondages signalent une nette augmentation de l'intérêt porté aux phénomènes mystiques et inexpliqués. Des futurologues respectés constatent que, dans tous les pays, les êtres humains recherchent le sens de leur vie sur terre et veulent atteindre une satisfaction intérieure[1]. Et tous les modes d'expression de la culture — les livres, les documentaires télévisuels, voire les informations quotidiennes — reflètent les mêmes exigences : nous valorisons de plus en plus la profondeur, l'intégrité des relations humaines, et souhaitons reconstruire une éthique fondée sur la communauté et non sur l'individu.

Plus important encore : la qualité de notre propre vie change. Nous nous désintéressons des discussions abstraites sur les théories ou les dogmes spirituels, et recherchons quelque chose de plus profond : la perception de la spiritualité telle qu'elle se manifeste dans notre vie quotidienne.

Quand on me pose des questions sur l'accueil

7

chaleureux réservé à mes deux premiers romans, *La Prophétie des Andes* et *La Dixième Prophétie*, je réponds toujours que ce succès ne fait que refléter la reconnaissance massive dont bénéficient les expériences spirituelles décrites dans mes livres.

De plus en plus d'entre nous, me semble-t-il, prennent conscience des coïncidences significatives qui se produisent chaque jour. Certains de ces événements sont importants et nous incitent à réfléchir. D'autres insignifiants, presque imperceptibles. Mais tous nous fournissent la preuve que nous ne sommes pas seuls, qu'un mystérieux processus spirituel influence notre vie. Une fois que nous avons éprouvé les sentiments d'inspiration et de vitalité que suscitent ces perceptions, il nous est presque impossible de les ignorer. Nous guettons de tels événements, les attendons, et cherchons activement à comprendre les raisons philosophiques, spirituelles, de leur apparition.

Mes deux romans sont ce que j'appellerai des paraboles d'aventures. Elles illustrent une nouvelle sensibilité spirituelle qui se répand dans le monde entier. Dans les aventures en question, j'ai essayé de décrire les révélations personnelles que chacun d'entre nous expérimente au fur et à mesure que notre conscience s'accroît. Fondées sur mes propres expériences, ces révélations pouvaient être facilement décrites d'une façon assez réaliste, tout en les situant dans le cadre d'une intrigue et de personnages romanesques.

J'ai travaillé comme un journaliste ou un sociologue, qui essaie de fournir des informations concrètes et d'illustrer les changements en cours dans le génie humain. En fait, l'évolution se poursuit tandis que la culture se découvre une dimension de plus en plus spirituelle. J'ai l'intention d'écrire encore au moins deux autres romans qui feront suite à *La Prophétie des Andes*.

J'ai choisi ici la forme de l'essai, parce que je pense que l'humanité se trouve à une étape très spéciale de cette prise de conscience croissante. Nous semblons tous l'entrevoir, et même la vivre pendant un moment, et ensuite, pour des raisons que nous exposerons plus loin, nous sommes déstabilisés et devons lutter pour reconquérir notre perspective spirituelle. Ce livre montre comment affronter ces défis : il nous faut avant tout discuter de nos expériences les uns avec les autres, le plus ouvertement et honnêtement possible.

Heureusement, nous avons franchi une étape importante sur ce point. La plupart d'entre nous maintenant parlent de leurs expériences spirituelles sans être bloqués par une timidité ou une peur excessives des critiques. Les sceptiques sont encore nombreux, mais l'opinion a basculé, de sorte que les plaisanteries douteuses, qui abondaient dans le passé, ne sont plus aussi répandues. Autrefois nous avions tendance à cacher aux autres nos expériences synchronistiques, et même à les rejeter nous-mêmes, car nous craignions d'être l'objet de moqueries et de sarcasmes. En l'espace de quelques années, la balance a penché dans l'autre direction, et ceux qui ont un esprit étroit sont maintenant pris à partie pour leur manque d'ouverture.

L'opinion publique change parce qu'un nombre significatif d'entre nous sait que le scepticisme systématique ne fait que reproduire une vieille habitude façonnée par des siècles d'adhésion à la conception cartésiano-newtonienne du monde. Sir Isaac Newton était un grand physicien mais, comme beaucoup de penseurs contemporains l'ont reconnu[2], il a limité l'univers en le réduisant à

9

une machine matérielle, en le décrivant comme s'il opérait seulement selon des lois mécaniques immuables. Avant lui, au XVIIᵉ siècle, Descartes avait popularisé l'idée qu'il nous suffisait de connaître les lois fondamentales de l'univers. Selon le philosophe français, si elles avaient d'abord été introduites par un créateur, elles fonctionnaient désormais de façon totalement indépendante[3]. Après Newton et Descartes, toute personne qui affirmait l'existence d'une force active et spirituelle dans l'univers, ou prétendait que les expériences spirituelles n'étaient pas des hallucinations, était souvent discréditée sans qu'on daigne même examiner son opinion.

Dans ce livre, nous verrons que cette vieille conception mécaniste du monde a été remise en cause depuis les premières décennies du XXᵉ siècle, principalement grâce à l'influence d'Albert Einstein, des pionniers de la physique quantique et des recherches les plus récentes sur les effets de la prière et de l'intention. Mais les préjugés hérités de l'ancienne conception mécaniste du monde subsistent dans notre esprit, protégés par un extrême scepticisme qui sert à filtrer les perceptions spirituelles plus subtiles qui pourraient remettre en cause ces hypothèses.

Il est important de comprendre ce mécanisme. Dans la plupart des cas, pour vivre une expérience spirituelle, nous devons au moins admettre la possibilité qu'une telle perception existe. Il nous faut suspendre ou mettre entre parenthèses notre scepticisme et essayer de toutes les façons possibles de nous ouvrir aux phénomènes spirituels afin de les vivre. Nous devons «frapper à la porte», comme le disent les Écritures, avant de pouvoir détecter la moindre expérience spirituelle.

Si nous abordons ces expériences avec un esprit trop fermé et dubitatif, nous ne percevons rien et nous nous prouvons ainsi à nous-mêmes, d'une manière totalement erronée et de façon répétitive, que les expériences spirituelles sont un mythe. Pendant des siècles, nous avons rejeté ces perceptions en prétendant qu'elles n'étaient pas réelles mais, en fait, à l'époque, nous ne voulions pas qu'elles le soient. Elles ne concordaient pas avec notre conception matérialiste du monde.

Comme nous le verrons plus loin, et de façon détaillée, cette attitude sceptique s'est répandue massivement au XVIIe siècle parce que la conception médiévale qui l'avait précédée avait échoué. Le Moyen Âge avait connu de multiples théories fantaisistes, des charlatans qui ambitionnaient le pouvoir, le commerce généralisé des sortilèges et du salut des âmes, et toutes sortes de folies. Dans ce contexte, les gens qui réfléchissaient souhaitaient ardemment aboutir à une description scientifique solide de l'univers physique et qui mette fin à ces absurdités. Nous voulions que le monde soit digne de confiance et naturel. Nous désirions nous libérer des mythes et des superstitions, et créer un monde où nous pourrions développer la sécurité économique — sans penser que des êtres étranges et bizarres allaient surgir de l'obscurité pour nous effrayer. Mus par ce besoin, nous sommes entrés dans les temps modernes avec une conception de l'univers beaucoup trop matérialiste et simplifiée.

Dire que nous avons jeté le bébé avec l'eau du bain est une litote. À l'avènement des temps modernes, les hommes sentirent que leur vie manquait de l'inspiration et du sens que seule la spiritualité peut fournir. Même nos institutions religieuses en furent affectées. Les miracles de la foi religieuse furent souvent réduits à des métaphores, et les églises devinrent de plus en plus des lieux de sociabilité, d'enseignement de la morale et de partage de certaines convictions abstraites plutôt que des endroits où l'on avait une véritable expérience pratique de la spiritualité[4].

Cependant, grâce à notre perception de la synchronicité et à d'autres expériences spirituelles dans la période actuelle, nous nous sommes connectés avec la véritable spiritualité qui a toujours été à notre portée. Dans un sens, cette conscience n'a rien de nouveau. Certains individus ont déjà expérimenté le même type de vécu à travers l'Histoire, comme en témoignent toute une série d'écrivains et d'artistes dans le monde, comme William James, Carl Jung, Ralph Waldo Thoreau et Henry David Emerson, Aldous Huxley (qui appela une telle connaissance la Philosophie éternelle) et, au cours des dernières décennies, George Leonard, Michael Murphy, Fritjof Capra, Marilyn Ferguson et Larry Dossey[5].

Ces expériences pénètrent actuellement la conscience humaine à une échelle absolument sans précédent. Un nombre si important d'hommes et de femmes vivent maintenant des expériences spirituelles individuelles que nous sommes en train de créer une nouvelle Vision du Monde, qui inclut et élargit le vieux matérialisme et le transforme en une conception beaucoup plus avancée.

Le changement social dont nous parlons ne constitue pas une révolution, où les structures de la société seraient détruites et reconstruites après la victoire d'une idéologie sur une autre. Le monde connaît actuellement un bouleversement interne au cours duquel les individus, puis les institutions, évoluent. Ces dernières, même si elles paraissent inchangées, sont rajeunies et transformées de l'intérieur, parce que ceux qui y travaillent défendent une nouvelle conception du monde.

Tandis que cette transformation se déroule, la plupart d'entre nous resteront probablement dans la même branche d'activité qui est la nôtre depuis longtemps, les familles que nous aimons, et la religion qui nous semble la plus authentique. Mais la vision de notre profession, de notre famille et de notre vie religieuse se transformera radicalement. Et cela aura des conséquences pratiques décisives au fur et à mesure que nous intégrerons les expériences spirituelles que nous percevrons et suivrons leurs enseignements.

Cette transformation de la conscience bouleverse toute la culture humaine à travers un processus positif de contagion sociale. Lorsqu'un nombre significatif d'individus mettra en pratique cette nouvelle sensibilité et en débattra librement, alors d'autres personnes les observeront et comprendront immédiatement que cette conscience exemplaire leur permet d'exprimer ouvertement et de vivre encore plus intensément ce qu'elles savent déjà intérieurement et de façon intuitive. Quand les nouveaux convertis adopteront cette nouvelle approche, ils découvriront par eux-mêmes ces expériences — ainsi que d'autres — et deviendront à leur tour des modèles à suivre.

Tel est le processus de l'évolution sociale et de la formation d'un consensus dans lequel nous sommes tous engagés en cette fin du XXe siècle. Nous créons ainsi un mode de vie qui façonnera le prochain siècle et le nouveau millénaire. Ce livre explore les expériences partagées par un nombre important d'entre nous, relate l'histoire de notre prise de conscience, et examine attentivement les difficultés qu'implique ce nouveau mode de vie dans notre quotidien.

Cet ouvrage analyse plus en détail la réalité sous-jacente exposée dans mes deux premiers romans sur la Prophétie des Andes. Même si cette étude est incomplète, je souhaite qu'elle contribue à clarifier notre vision de la nouvelle conscience spirituelle qui prend forme actuellement.

James Redfield
(Été 1997)

1

Les premières intuitions

Notre nouvelle conscience spirituelle a commencé à émerger à la fin des années 1950, quand, à l'apogée du matérialisme moderne, un phénomène très profond a ébranlé notre psyché collective. Comme si, après des siècles de réussites matérielles, nous semblions marquer une pause et nous demander : « Et maintenant ? » Une intuition collective prenait forme : nous pouvions attendre quelque chose de *plus* de la vie, atteindre un sentiment d'accomplissement plus profond que ce que notre culture avait été capable d'exprimer et de nous faire partager.

Qu'avons-nous fait de cette intuition ? Nous avons, bien sûr, commencé par nous critiquer nous-mêmes — ou plutôt par critiquer les institutions et les modes de vie que nous observions dans la culture qui nous entourait — d'une façon assez brouillonne. Le climat émotionnel de l'époque était rigide et très marqué par un système de castes. Les juifs, les catholiques et les femmes avaient du mal à obtenir des positions de direction aux États-Unis. Les Noirs et les différentes minorités ethniques étaient complètement exclus. Et les autres catégories sociales qui vivaient dans cette société d'abondance ne se préoccupaient pas de la réussite.

Le sens de la vie ayant été réduit aux performances économiques, le statut de chacun dépendait de ses succès matériels. On essayait, de façon vraiment dérisoire, de paraître aussi riche que son voisin — voire davantage. La plupart d'entre nous dirigeaient tous leurs efforts vers l'extérieur. Cette pression interne terrible nous amenait toujours à nous juger en fonction de l'opinion de notre entourage. Et nous aspirions désespérément à vivre dans une société qui, d'une façon ou d'une autre, libérerait notre potentiel.

LES ANNÉES 1960

Nous avons donc d'abord demandé *plus* à notre culture, ce qui a suscité l'apparition des différents mouvements qui ont caractérisé les années 1960. Rapidement, ces groupes ont abouti à de nombreuses initiatives et réformes juridiques visant à obtenir l'égalité entre les races et les sexes, la protection de l'environnement, et même la fin de la désastreuse guerre non déclarée contre le Viêtnam. Que se cachait-il derrière toute cette agitation ? La décennie des années 1960 a représenté le premier ébranlement généralisé de la conception matérialiste du monde qui dominait jusqu'alors [1] — la première « fissure à l'intérieur de l'œuf cosmique » comme Joseph Chilton Pearce l'a appelée —, bouleversement suivi par l'apparition d'une nouvelle orientation. La culture occidentale, et dans une certaine mesure la culture de l'humanité dans son ensemble, découvrait les limites de son horizon matérialiste, et se mettait en quête d'un sens de la vie plus profond sur le plan philosophique.

À une échelle plus vaste que jamais auparavant, nous avons compris que notre conscience et notre expérience étaient étouffées par les étroites préoccupations du matérialisme, et que chacun devrait fonctionner et entrer en interaction à un niveau supérieur, spirituel. Nous savions que, à un niveau plus profond que ce que nous pouvions expliquer, nous avions la possibilité de rompre avec nos schémas antérieurs, de devenir plus créatifs, vivants et libres.

Malheureusement, nos premières actions reflétaient les mécanismes compétitifs de l'époque. Chacun observait son voisin et les différentes institutions qui nous irritaient, et l'on exigeait que les structures sociales soient réformées. En clair, nous regardions la société autour de nous et nous disions à nos congénères : «Vous devriez changer.» Si cet activisme a certainement abouti à des réformes juridiques essentielles et fort utiles, il ne s'est absolument pas attaqué à des problèmes plus individuels comme l'insécurité psychologique, la peur et la cupidité qui ont toujours été à l'origine des inégalités et préjugés sociaux et raciaux, ainsi que des dommages causés à l'environnement.

LES ANNÉES 1970

Dès le début de cette décennie nous avons commencé à comprendre ce problème. Comme nous le verrons plus tard, l'influence de la psychologie des profondeurs, des nouvelles thérapies humanistes et la multiplication des ouvrages consacrés aux groupes d'entraide et de développement personnel ont commencé à exercer une certaine influence sur notre culture[2]. Nous nous sommes

17

rendu compte que nous demandions aux autres de changer, mais fermions les yeux sur nos conflits intérieurs. Nous avons découvert que, si nous voulions trouver le *plus* qui nous manquait, nous devions regarder en nous-mêmes plutôt que de nous soucier de la conduite d'autrui. Pour changer le monde, nous devions d'abord nous changer nous-mêmes.

Presque du jour au lendemain, le fait d'aller consulter un thérapeute n'était plus mal vu, et il est devenu acceptable, voire «branché», d'explorer activement son moi intérieur. Nous avons découvert que l'examen de notre petite enfance, comme le savaient les freudiens depuis longtemps, provoquait souvent une sorte de révélation ou de catharsis à propos de nos angoisses et de nos mécanismes de défense. Nous avons compris comment et quand ces complexes se formaient au cours de nos premières années[3].

À travers ce processus, nous avons pu identifier les façons dont on nous empêchait de nous réaliser ou dont nous nous freinions nous-mêmes. Immédiatement, nous avons compris que cet examen exclusivement intérieur, cette analyse de notre histoire personnelle, jouait un rôle utile et important. Cependant, en fin de compte, nous avons découvert qu'il nous manquait encore quelque chose. Nous nous sommes aperçus que nous aurions beau analyser notre psychologie intérieure pendant des années, cela n'empêcherait pas nos vieilles peurs, nos automatismes et nos emportements passagers de revenir chaque fois que nous nous trouverions dans des situations extrêmement stressantes ou déstabilisatrices.

À la fin des années 1970, nous nous sommes rendu compte que notre intuition d'un *plus* ne serait pas satisfaite par la seule thérapie. Nous pressentions l'avènement d'une nouvelle conscience, d'un nouveau sentiment de soi, et d'un flux plus important d'expériences qui remplaceraient les vieilles habitudes et réactions qui nous empoisonnaient la vie. La plénitude existentielle que nous pressentions ne concernait pas seulement notre croissance psychologique. La nouvelle sensibilité nécessitait une transformation plus profonde, d'ordre spirituel.

LES ANNÉES 1980 ET 1990

Pendant les années 1980, cette révélation nous amena dans trois directions différentes.

Tout d'abord un retour aux religions traditionnelles. L'engagement religieux connut un certain essor, beaucoup d'entre nous se replongèrent dans la lecture des Écritures et redécouvrirent les rituels sacrés. Pour répondre à notre intuition, nous désirions examiner plus sérieusement les chemins spirituels traditionnels.

À la même époque, certains entreprirent une quête spirituelle plus globale et personnelle. Ils cherchaient une compréhension plus fine des itinéraires spirituels ésotériques qui avaient été explorés au cours de l'Histoire.

Enfin, d'autres désiraient échapper à la fois à l'idéalisme et à la spiritualité. Frustrés par les échecs de l'introspection des années 1960 et 1970, ils voulurent revenir au matérialisme qui déclinait depuis les années 1950, à l'époque où la réussite financière semblait être l'unique valeur importante. Cependant, cette tentative de remplacer la quête spirituelle, la recherche d'un sens profond

19

à notre vie, dont nous sentions la nécessité, par l'amélioration de notre statut économique n'aboutit qu'à augmenter la pression interne pour s'enrichir rapidement. Les excès qui caractérisent les années 1980 se traduisirent aux États-Unis par les scandales des sociétés de crédit ainsi que de nombreuses opérations de corruption boursière.

Les années 1980 marquèrent une sorte de retour aux débuts de la conquête de l'Ouest, alors que nous éprouvions trois besoins impérieux, qui se faisaient concurrence : revenir au vieux matérialisme, redécouvrir les vieilles religions et nous éveiller à de nouvelles formes de spiritualité. Comme nous le comprenons aujourd'hui avec le recul, toutes ces tentatives visaient à trouver le *plus* dont la découverte nous paraissait imminente. Nous nous sommes livrés à des expériences, nous avons joué la comédie, nous nous sommes battus pour attirer l'attention d'autrui, nous avons plus ou moins consciemment transformé une grande partie de nos activités en une lubie superficielle — et, bien sûr, nous avons fini par être déçus.

Néanmoins, toutes ces tentatives des années 1980 ont joué un rôle important, en particulier la première vague massive d'intérêt pour les différentes approches spirituelles. Cette étape nécessaire nous a finalement lassés des modes et des engouements passagers et nous a amenés à un niveau plus profond. Dans un sens, cette clarification nous a permis de comprendre que nous recherchions un contenu réel, un changement plus profond de nos attitudes et de notre façon d'être.

L'intuition collective des années 1980 véhiculait un message fondamental : quel que soit le contenu de ce que nous étudions, l'enseignement spirituel des religions traditionnelles ou les expériences des

20

mystiques qui ont parcouru des chemins plus ésotériques, il existe une profonde différence entre la connaissance théorique, livresque, des perceptions spirituelles et l'expérience effective, personnelle de ces mêmes perceptions.

Au début des années 1990, nous sommes parvenus à une étape très importante. Si notre intuition des années 1960 se révélait juste, si une vie plus accomplie était possible, nous devions donc faire un pas de plus : la réflexion intellectuelle ne suffisait plus, il nous fallait maintenant vivre une expérience spirituelle véritable. Alors, le clinquant et le superficiel disparurent, et il ne resta plus que la quête d'une expérience authentique. Notre ouverture vers la spiritualité atteignait désormais un nouveau niveau d'authenticité et de discussion.

RECHERCHER L'AUTHENTIQUE

C'est dans ce contexte que *La Prophétie des Andes*, *La Dixième Prophétie* et toute une série d'autres livres traitant des véritables perceptions spirituelles ont été publiés, et lus par des millions de gens dans le monde. Ces ouvrages ont touché le grand public parce qu'ils décrivaient nos aspirations spirituelles véritables, et dépeignaient des expériences à la portée de tous.

Dans les années 1960, l'idéalisme en vogue à cette époque m'avait amené à travailler avec des adolescents ayant des problèmes psychologiques sérieux et avec leurs familles, d'abord en tant que thérapeute, puis comme administrateur d'un centre de santé. Si je réexamine mon travail aujourd'hui, je discerne une profonde relation entre ces expériences professionnelles et la conception de mon premier roman, *La Prophétie des Andes*. Mon travail avec ces jeunes, tous gravement maltraités durant leur petite enfance, m'a permis d'avoir une vision plus globale des obstacles qu'ils allaient devoir surmonter. Pour soigner leurs traumatismes, ils seraient obligés de s'embarquer pour un long voyage qui, dans un certain sens, engloberait la dimension transcendantale.

L'angoisse des êtres maltraités durant leur prime jeunesse crée un grand besoin, chez les jeunes, de maîtriser totalement leur vie. Ils fabriquent des mécanismes de défense, parfois cruels et autodestructeurs, pour donner un sens à leur existence et donc diminuer leur anxiété. Briser ces scénarios peut se révéler extrêmement difficile, mais les thérapeutes ont obtenu un certain succès à travers des activités comme le sport, les interactions de groupe, la méditation, etc. Elles promeuvent l'expérience d'un moi supérieur qui remplacera la vieille identité et son schéma réactionnel correspondant.

Dans une certaine mesure, chacun d'entre nous a déjà ressenti, d'une façon ou d'une autre, le même genre d'angoisse que ces enfants maltraités. Le plus souvent, heureusement, cette anxiété est moins intense, et nos réactions ne sont pas aussi extrêmes, mais le processus, l'étape de croissance concernés sont exactement les mêmes. Ce phénomène, que j'ai pu observer dans mon travail, m'a indiqué l'étape que traversait notre culture. Notre train-train quotidien souffrait d'une carence : pour la repérer, pour atteindre une identité personnelle plus élevée, plus spirituelle, il nous fallait subir une transformation interne, changer radicalement la façon dont nous nous percevions et percevions la vie. La description de ce voyage, de cette aventure psychologique, est le point de départ de *La Prophétie des Andes*.

J'ai écrit ce premier livre entre janvier 1989 et avril 1991, et j'ai pas mal tâtonné pour le rédiger. De façon tout à fait surprenante, plus je me souvenais d'expériences antérieures, plus j'écrivais à leur propos et les intégrais dans mon récit d'aventures, et plus des coïncidences frappantes se produisaient et illustraient des points particuliers que je voulais souligner. Des livres apparaissaient mystérieusement, ou je rencontrais juste au moment opportun le type exact de personnes que j'essayais de décrire. Parfois des inconnus s'ouvraient à moi sans raison apparente et me parlaient de leurs expériences spirituelles. Cela me poussa à leur faire lire mon manuscrit, et leurs réactions me permirent à chaque fois de préciser ma pensée ou de la développer.

J'eus la certitude que mon manuscrit était presque terminé quand de nombreuses personnes m'en demandèrent des copies pour des amis. Je cherchai un éditeur et ma première tentative n'eut aucun succès. Je heurtai alors l'un de mes premiers murs de brique, comme je les appelle maintenant. Toutes les coïncidences cessèrent et je me sentis complètement bloqué. À ce moment, je décidai d'appliquer l'un des enseignements les plus importants de la nouvelle conscience. Je connaissais cette méthode et je l'avais déjà expérimentée auparavant, mais elle n'était pas encore suffisamment intégrée dans ma conscience pour que j'y aie recours dans une situation stressante.

J'avais interprété mon incapacité à trouver un éditeur comme un échec, un événement négatif, et ce jugement avait stoppé les coïncidences qui me faisaient progresser jusque-là. Quand je me rendis compte de ce qui se passait, je redoublai d'attention et modifiai mon manuscrit à plusieurs endroits, en développant certains points. Et en ce qui concerne ma propre vie, je savais que je devais analyser cette situation comme je le ferais avec n'importe quel événement. Quelle était sa signification ? Quel était le message ?

Quelques jours plus tard, une amie m'informa qu'elle avait rencontré quelqu'un qui avait récemment quitté New York pour venir habiter dans notre région. Il avait travaillé dans l'édition pendant de nombreuses années. Immédiatement, une image passa dans mon esprit : je le rencontrais, et cette intuition me sembla être une riche source d'inspiration. Le jour suivant, je me rendis chez lui et les coïncidences recommencèrent à se produire. Il voulait désormais s'occuper d'auteurs qui envisageaient de s'éditer eux-mêmes, m'expliqua-t-il, et puisque mon manuscrit, d'après ses premiers lecteurs, semblait bon, il pensait que cette démarche me serait sans doute bénéfique.

Peu après cette rencontre, et alors que nous étions prêts à imprimer mon livre, je rencontrai Salle Merrill, qui m'apporta une perspective, une sensibilité féminines et me fit opportunément comprendre combien il est important de donner aux autres. Sur les trois premiers milliers de livres qui furent imprimés, nous en envoyâmes ou en apportâmes personnellement près de mille cinq cents à des petites librairies ou à des particuliers en Alabama, en Floride, en Caroline du Nord et en Virginie. Le bouche à oreille fit le reste.

En l'espace de six mois, le livre se vendit à plus de cent mille exemplaires sur tout le territoire des États-Unis et fut publié dans de nombreux pays.

S'il se vendit autant et si rapidement, ce n'est pas à cause de la publicité que je fis, mais parce que, partout, les lecteurs le conseillaient à leurs amis autour d'eux.

POURSUIVRE NOS RÊVES

Je mentionne cette anecdote personnelle pour montrer que notre nouvelle conscience spirituelle nous aide à réaliser nos rêves, préoccupation qui a toujours été au cœur des efforts des hommes partout dans le monde. L'univers semble vraiment être conçu comme une plate-forme pour la réalisation de nos aspirations les plus profondes et les plus authentiques. Il s'agit d'un système dynamique propulsé par le flux constant des petits miracles. Mais il y a un hic. L'univers est construit pour répondre à notre conscience, mais il ne nous rendra que le niveau de qualité que nous lui conférons. C'est pourquoi il nous faut absolument découvrir qui nous sommes, ce que nous sommes venus faire ici-bas et apprendre à suivre les mystérieuses coïncidences qui peuvent nous guider. La réussite de ce processus dépend, dans une grande mesure, de notre capacité à rester positifs et à trouver les deux facettes de chaque événement.

Pour mettre en pratique notre nouvelle conscience spirituelle, nous devons passer par une série d'étapes ou de révélations. Chaque étape élargit notre perspective. Mais elle offre aussi une série de défis. On ne peut se contenter de survoler superficiellement chaque niveau de conscience élargie. Nous devons vouloir vraiment les mettre en pratique, intégrer chaque augmentation de notre conscience spirituelle dans notre vie quotidienne. Une seule interprétation négative peut tout arrêter.

Dans les pages qui suivent, nous examinerons les différentes étapes de notre expérience intérieure. Et nous verrons aussi comment en conserver fermement les enseignements dans notre vie et les appliquer efficacement.

2

Vivre les coïncidences

Des coïncidences significatives sont susceptibles de se produire à tout moment. Notre journée s'écoule tranquillement et, tout à coup, apparemment sans avertissement, un événement attire par hasard notre attention. Par exemple, nous nous souvenons d'un vieil ami auquel nous n'avons pas pensé depuis des années ; puis, nous l'oublions complètement, et, le lendemain, nous tombons sur lui dans la rue. Ou bien, nous sommes intéressés par une personne qui travaille dans la même entreprise que nous, et nous la retrouvons assise dans le même restaurant le jour suivant, à l'autre bout de la salle.

Les coïncidences nous signalent l'arrivée opportune d'informations que nous désirions obtenir mais ne savions pas comment ; ou la prise de conscience soudaine qu'un hobby ou un intérêt passés nous ont préparés à saisir une nouvelle occasion ou à trouver un nouveau travail. Quels que soient les détails d'une coïncidence particulière, nous sentons qu'il est improbable qu'elle soit seulement l'effet de la chance ou du hasard. Quand une coïncidence capte notre attention, nous sommes intimidés par cet événement, même si cette appréhension ne dure que quelques instants. À un certain niveau, nous sentons que tel événement était *prévu*, qu'il devait se produire juste quand il s'est produit pour orienter notre vie dans une direction nouvelle, et qu'il nous inspirera davantage.

Abraham Lincoln a relaté une coïncidence de ce type qui se produisit durant sa jeunesse. À cette époque, il sentait qu'il ne serait pas un fermier ou un artisan comme la plupart des habitants de la communauté où il vivait, en Illinois, et que sa vie prendrait une autre direction. Un jour, il rencontra un colporteur qui avait certainement vécu des temps difficiles. Celui-ci demanda à Lincoln de lui acheter un vieux tonneau de marchandises, la plupart sans valeur, pour un dollar. Lincoln aurait aisément pu envoyer promener ce commerçant raté, mais il lui donna la somme convenue et rangea le tonneau dans un coin. Plus tard, quand il le vida et en fit l'inventaire, il trouva, au milieu de vieux bidons et de vieux ustensiles, une collection complète de livres de droit. Ces ouvrages lui permirent d'étudier pour devenir avocat et poursuivre sa remarquable destinée[1].

Le psychologue suisse Carl Jung fut le premier penseur moderne à tenter de définir ce phénomène mystérieux. Il inventa le terme de *synchronicité* pour désigner la perception de coïncidences significatives. Il s'agissait pour lui d'un principe acausal, d'une loi qui pousse les êtres humains vers une plus grande conscience[2].

Jung observa un excellent exemple de synchronicité au cours d'une de ses séances thérapeutiques. Sa patiente était une femme très comme il faut et son comportement obsessionnel lui posait beaucoup de problèmes. Jung était en train d'analyser ses rêves, dans l'espoir de l'aider à entrer en contact avec le côté léger, ludique et intuitif de sa nature. Ses rêves les plus récents incluaient une interaction avec un scarabée, mais elle refusait catégoriquement d'essayer d'interpréter son rêve. Juste à ce moment, Jung entendit un étrange tapotement contre la vitre et, quand il ouvrit les rideaux, un scarabée se tenait de l'autre côté de la fenêtre, un insecte plutôt rare dans cette région. L'épisode inspira tellement la femme que, selon Jung, elle fit par la suite de grands progrès dans le traitement de ses problèmes[3].

Si vous procédez au bilan de votre vie, il vous sera difficile d'ignorer les schémas de synchronicité à l'œuvre dans les événements mystérieux qui ont contribué à vous faire choisir votre métier actuel, rencontrer votre compagnon (ou compagne), ou constituer le réseau d'amis et d'alliances sur lequel vous comptez. Il est beaucoup plus difficile de percevoir de tels événements dans le présent, au moment où ils se produisent. Les coïncidences sont parfois spectaculaires, comme nous l'avons vu. Mais elles peuvent aussi être très subtiles et éphémères, et alors facilement écartées — ainsi que la vieille conception matérialiste du monde nous poussait à le faire — comme de simples manifestations de la chance ou du hasard.

Nous devons dépasser le conditionnement culturel qui nous pousse à réduire la vie à des événements ordinaires, banals, sans mystère. La plupart d'entre nous ont appris à vivre en tenant seulement compte de leur ego, à se réveiller le matin et à penser : «Je dois maîtriser complètement le déroulement de cette journée.» Nous créons dans notre tête des listes inflexibles de projets que nous avons l'intention d'accomplir, et nous poursuivons ces objectifs avec des œillères. Cependant le mystère est toujours là, il danse autour des marges de notre vie, nous donnant de brefs aperçus de changements possibles. Nous devons décider de ralentir et de déplacer notre attention, de tirer parti des occasions qui s'offriront à nous.

LES RÊVES NOCTURNES

De toutes les expériences synchronistiques que nous pouvons avoir, ce sont certainement les plus obscures et difficiles à interpréter. Cependant, notre culture a toujours été fascinée par ces rencontres nocturnes. Ils sont l'essence de la mythologie et de la prophétie, et nous sommes partiellement conscients qu'ils jouent un rôle important dans notre vie. Mais lequel ?

Habituellement, les rêves se présentent sous forme de petites histoires. Ils contiennent souvent des intrigues absurdes et des personnages bizarres ; ils mettent en scène des individus et des situations que nous ne rencontrons jamais dans la réalité. Pour cette raison, la plupart d'entre nous se découragent rapidement quand ils cherchent à les interpréter. Les images sont trop difficiles à comprendre, aussi rejetons-nous ces scènes embrouillées comme si elles n'avaient aucun intérêt pratique, et nous continuons imperturbablement notre journée.

Mais les spécialistes des rêves, si nous les consultons, nous conseilleraient de ne pas renoncer aussi vite[4]. Selon eux, les songes ont un sens important, caché derrière leur symbolisme. Si vous feuilletez quelques-uns des nombreux ouvrages consacrés à leur interprétation, vous aurez une idée de leur symbolisme, c'est-à-dire du sens mythologique ou archétypal qui peut être assigné à certains de leurs éléments, qu'il s'agisse de l'apparition d'animaux, de meurtres, de vols ou de fuites désespérées.

Mais quelle est la clé pour découvrir la synchronicité des rêves ? Il nous faut dépasser l'interprétation classique de ces symboles et nous intéresser au tableau d'ensemble : le sens qui entoure l'intrigue et les personnages du songe. Nous serons alors à même de trouver des messages de nature plus personnelle qui, souvent, concernent directement des situations spécifiques de notre vie.

Par exemple, si nous rêvons que nous sommes engagés dans une guerre quelconque, que nous fuyons un combat, et qu'ensuite, lorsque le rêve se poursuit, nous découvrions une façon non seulement de survivre mais d'aider à clore ce conflit, ce thème peut s'appliquer à notre situation actuelle. Évidemment, nous ne sommes pas réellement en guerre, mais qu'en est-il des autres types de conflit que la guerre peut symboliser dans notre propre vie ? Sommes-nous en train de fuir quelque chose ou quelqu'un ? D'éviter la confrontation en dissimulant un problème, en niant son existence ou en nous occupant d'une autre question, en espérant que ce problème disparaîtra tout seul ?

Pour comprendre le message d'un rêve, nous devons absolument comparer la petite histoire qu'il raconte — dans ce cas, le fait de fuir une guerre (un conflit) puis de trouver une solution pour qu'elle s'arrête — avec notre situation individuelle dans le monde réel. Peut-être ce songe nous suggère-t-il de nous réveiller et de faire face aux problèmes : une solution est à notre portée si nous restons attentifs.

Et que dire des personnages de ce rêve? Même s'ils nous paraissent étranges, symbolisent-ils des individus réels avec lesquels nous avons des relations importantes? Observons-nous correctement les personnes qui nous entourent? Le rêve nous envoie-t-il une information sur la véritable nature de ces gens, pour le meilleur ou le pire?

Mais que faire si nous analysons l'intrigue et les personnages de notre rêve et ne trouvons absolument aucun lien avec notre situation concrète? Quelle mesure devons-nous prendre? Noter ce songe dans un journal intime sera très utile au cas où il se révélerait prémonitoire. Ne croyez pas que les rêves prémonitoires concernent uniquement les événements spectaculaires, tels un accident d'avion ou un héritage inattendu. En fait les songes évoquant des problèmes quotidiens et secondaires sont parfois aussi prémonitoires. Souvent ils vous semblent bizarres ou stupides parce que la situation qu'ils décrivent ne s'est pas encore produite dans votre existence. Au lieu de les ignorer, mieux vaut les garder à l'esprit. Ils pourront être étonnamment instructifs plus tard.

VOIR UN VIEIL AMI OU PENSER À LUI

La synchronicité entre le fait de penser à un vieil ami et celui de le voir est en général plus directe. Si l'idée nous traverse l'esprit, l'image surgit habituellement dans notre tête sans qu'elle soit associée à un autre événement. Parfois nous nous demandons depuis combien de temps nous n'avons pas pensé ou parlé à cette personne. Très souvent cela se produit tôt le matin, durant cette période calme qui sépare la fin de la nuit de notre réveil.

Malheureusement, nos habitudes culturelles nous poussent à nous attarder seulement quelques instants sur ces images et ensuite à les écarter afin de continuer notre journée en paix. Nous risquons alors de négliger la signification profonde de ce souvenir. Mais si nous demeurons attentifs à ces pensées, d'autres événements synchronistiques se produisent généralement. Par exemple, vous êtes en train de chercher quelque chose d'autre et vous tombez sur un second souvenir de la personne à laquelle vous avez pensé — peut-être une ancienne photographie ou une vieille lettre qui ravive vos souvenirs sur des événements que vous avez partagés avec cette personne. Après réflexion, vous pouvez même découvrir que ce type de coïncidence se produit aussi dans votre vie présente.

Bien sûr, il existe d'autres exemples d'événements synchronistiques. Par exemple, vous marchez dans la rue et, au moment où vous levez les yeux, vous apercevez la personne en question qui marche dans votre direction. Ou votre téléphone sonne, vous décrochez et découvrez que cet ami est au bout du fil.

Nous devons toujours exploiter ce type de coïncidences. S'il vous est impossible de parler avec ce vieil ami tout de suite, organisez un rendez-vous plus tard pour déjeuner ou prendre un verre avec lui. Vous avez certainement des informations importantes à échanger. S'il ne s'agit pas d'un vieux problème qui doit être réexaminé et clarifié, ce sera un élément nouveau que vous ou votre vieil ami avez découvert et que vous avez besoin de vous communiquer mutuellement. Poursuivez le mystère, regardez derrière les apparences, explorez.

Parfois, après avoir spontanément pensé à quelqu'un, vous souhaiterez prendre l'initiative vous-même et l'appeler immédiatement. Je me suis souvent trouvé dans la situation suivante : je tends le bras pour attraper le téléphone afin d'appeler un vieil ami, mais la sonnerie retentit avant même que je fasse son numéro et j'entends alors sa voix au bout du fil. Une fois de plus, n'hésitez pas à parler de ce qui se passe avec votre interlocuteur. Décrivez votre situation spécifique à ce moment, cherchez le message instructif qui explique la raison pour laquelle la coïncidence s'est produite.

LES RENCONTRES INOPINÉES

Les rencontres totalement inattendues peuvent concerner des amis, des relations ou des inconnus. S'il s'agit d'une connaissance, vous rencontrerez cette personne dans des circonstances qui n'auront rien à voir avec le simple hasard.

Exemple : vous tombez sur un vieil ami à un moment crucial. Deepak Chopra, un partisan important de la nouvelle médecine holistique, a évoqué une série d'expériences qui l'ont amené à s'intéresser sérieusement aux médecines alternatives. Jusqu'alors, il avait exercé comme un praticien occidental traditionnel, occupant des positions prestigieuses à Harvard et dans d'autres universités en tant que professeur d'immunologie.

Puis sa vie prit un tournant. Au cours d'un voyage pour une conférence, il fut invité à rencontrer un spécialiste oriental de la méditation. Ce dernier lui suggéra d'étudier la médecine ayurvédique, une approche orientale qui se concentre sur la prévention des maladies. Deepak rejeta sa proposition, car il n'avait aucune confiance dans les approches mystiques de la santé.

Il se rendit ensuite en voiture jusqu'à l'aéroport où, à sa grande surprise, il tomba sur un vieil ami qu'il avait connu à la faculté de médecine. Au cours de leur conversation, cet ami sortit de sa serviette une copie du texte fondamental de la médecine ayurvédique et la lui donna, car il pensait que ce document pourrait l'intéresser. Ébranlé par cette coïncidence, Deepak lut ce livre, et se rendit compte qu'il avait trouvé sa voie : il se consacrerait désormais à défendre cette approche médicale, faire connaître les médecines alternatives dans tous les pays [5].

Un événement synchronistique de ce type se produit parfois quand nous rencontrons à plusieurs reprises, dans un laps de temps très court, quelqu'un que nous ne connaissons pas. La probabilité de tels événements est très faible, mais ils se produisent assez fréquemment. Vous apercevez une personne une fois et elle ne vous inspire aucune réflexion. Mais si vous la rencontrez une deuxième, voire une troisième fois au cours de la même journée, la coïncidence attire en général votre attention. Malheureusement, trop souvent nous ne faisons que noter cet événement, en pensant qu'il est étrange, et ensuite nous poursuivons notre route en ne prenant aucune initiative.

Encore une fois, l'univers nous lance un défi : trouvons un moyen d'engager la conversation avec cette personne. Certes c'est difficile quand nous la connaissons, et encore davantage quand il s'agit d'un inconnu. D'abord, débarrassons-nous de notre méfiance vis-à-vis des inconnus. Dans la culture occidentale, on considère trop souvent un regard et l'amorce d'une conversation comme une invasion de la vie privée ou même une avance sexuelle. Dans nos sociétés, on présume, hélas, qu'une femme qui regarde un homme dans les yeux est automatiquement prête à accepter ses avances. Cela crée toutes sortes de confusions — les femmes évitent les regards des hommes quand elles marchent dans la rue, car elles craignent qu'un mâle arrogant n'en tire des conclusions erronées ; quant aux hommes qui sont sensibles à ce problème, ils essaient eux aussi de ne pas croiser le regard des femmes pour ne pas être accusés de les harceler.

Même si ce problème demeure, nos intuitions nous desservent rarement dans ce domaine. Si nous restons attentifs, et apprenons à percevoir le flux d'énergie, nous saurons faire la différence entre ceux auxquels nous devons nous ouvrir et ceux que nous devons éviter. Il est important aussi d'analyser nos désirs sexuels et de savoir les maîtriser.

Aborder quelqu'un amicalement a toujours d'excellents résultats. Dites par exemple : « Ne nous sommes-nous pas déjà rencontrés ? » et expliquez votre préoccupation ce jour-là. Si vous vous trouvez dans un magasin, racontez la raison de votre présence : « Je suis venu ici acheter un costume pour une soirée à laquelle j'ai été invité. » Avec un peu de chance, l'autre personne répondra en vous expliquant pourquoi elle se trouve dans cette boutique et vous découvrirez un thème existentiel commun. Rappelez-vous, votre but est de découvrir la raison de cette synchronicité.

Les personnes âgées semblent beaucoup plus à l'aise dans ce genre de conversations spontanées, mais nous pouvons tous vaincre notre gêne si notre intention est sincère. De toute façon, rien ne coûte d'essayer, et si vous êtes rejeté, faites preuve d'humour. Comme mon grand-père me l'a dit une fois : «Le secret de la vie c'est d'apprendre à se rendre ridicule avec élégance.» Prenez évidemment quelques précautions quand vous rencontrez des inconnus : par exemple, si vous décidez de les revoir, fixez des rendez-vous seulement dans des lieux publics, tant que vous ne les connaîtrez pas bien. Mais si vous procédez prudemment, vous bénéficierez d'un afflux de coïncidences supplémentaires.

LES INFORMATIONS QUI ARRIVENT
JUSTE AU BON MOMENT

Ce type d'expérience commence parfois par un brusque regain d'espérance. Vous vous trouvez n'importe où, au travail ou en train de vous détendre, quand soudain vous pressentez qu'un événement important va se produire. Comme nous l'expliquerons plus en détail, parfois vous percevez une sensation de légèreté dans votre corps ou vous avez l'impression que tout autour de vous devient plus clair et plus lumineux. Quelque chose vous dit que votre vie va prendre un tournant important.

La façon dont l'information vous parvient est toujours un mystère. Habituellement elle nous est donnée par l'intermédiaire d'un autre être humain, à travers ses mots ou ses actions. Cela vient parfois sous la forme d'un livre, d'un magazine, d'un article ou d'un reportage télévisé. Mais nous prenons toujours connaissance au bon moment de la perspective, de la quête ou de l'idée d'un autre être humain pour développer notre propre conscience.

Notre sensation que l'information arrive vers nous provient probablement du fait que nous avons franchi toutes les étapes de croissance nécessaires et que nous sommes prêts à entamer un nouveau chapitre dans l'histoire de notre vie. J'ai eu une expérience de ce genre à propos de ma compréhension des luttes de pouvoir entre les êtres humains. Jusqu'alors, j'avais clairement compris que les hommes et les femmes étaient engagés dans une compétition irrationnelle, mais je savais qu'il me restait encore d'autres éléments à découvrir sur les luttes de pouvoir. À un certain moment, j'ai éprouvé un grand espoir et su que j'allais faire un bond en avant.

Pendant un temps, rien ne s'est produit. Un jour, alors que je conduisais, je me rendis compte qu'une librairie avait attiré mon regard. Je m'arrêtai, me garai et entrai dans ce magasin. Je commençai à feuilleter les livres, mon sentiment qu'un événement allait se produire augmenta. Juste à ce moment, à au moins une dizaine de mètres de moi, un livre me sauta aux yeux. Même à cette distance, la couleur et le graphisme de sa couverture se distinguaient de tous les autres livres empilés autour de lui. Je me précipitai et découvris qu'il s'agissait d'un ouvrage d'Ernest Becker, *Escape from Evil*. Cet ouvrage explique comment les hommes tendent à construire leur personnalité au détriment des autres pour se sentir plus sûrs d'eux et acquérir un sentiment plus fort d'auto-estime et de bien-être[6]. C'était l'élément clé qui me manquait pour comprendre les luttes de pouvoir.

En résumé, si vous voulez tirer profit des différentes synchronicités dans votre existence, restez toujours sur le qui-vive et prenez le temps nécessaire pour explorer ce qui se passe. Chacun d'entre nous a besoin de créer dans sa vie une quantité suffisante de ce que j'appelle du «temps flottant» — pendant lequel nous ne faisons rien sinon traîner, zapper entre différentes chaînes, feuilleter un journal, ou marcher dans la rue en observant attentivement ce qui nous entoure. Si vous pensez à un ami, rendez-lui visite ; voyez ce qui se passe. Internet constitue aussi une intéressante source d'information, de ce point de vue. Attention, cependant : n'importe qui peut faire circuler n'importe quoi sur Internet. Personne ne vérifie la véracité des informations, personne n'est responsable du contenu.

SYNCHRONICITÉ ET
CONVICTIONS RELIGIEUSES

Certains pensent que la perception de la synchronicité ne se marie guère avec des convictions religieuses. Cependant, dans la plupart des cas, à mon avis, cela ne crée aucun conflit. Au fur et à mesure que nous commençons à percevoir les coïncidences dans notre vie, le mystère nous amène à affronter les questions spirituelles fondamentales de l'existence. Quelle est cette force qui semble nous attirer vers notre destin ? Notre vie a-t-elle un objectif divin ? Comment celui-ci se révèle-t-il exactement ?

La plupart d'entre nous grandissent avec au moins quelques vagues idées sur la religion. Si nous ne sommes pas membres d'une Église particulière, certains de nos amis ou des membres de notre famille proche le sont, et croient profondément dans les principes de leur foi. La plupart des personnes pratiquantes sont sincèrement motivées et désirent perpétuer l'apport unique de leur religion en ce monde. Cette impulsion commune garantit à la société une vaste diversité de conceptions religieuses à travers lesquelles nous sommes en mesure d'explorer de nombreuses options et ainsi de croître personnellement. À mon avis, chaque perspective religieuse positive contient une part importante de vérité. Le dialogue entre les différentes religions, si vague et fragmenté soit-il, est cependant essentiel pour notre évolution actuelle vers une meilleure compréhension spirituelle globale.

Notre perception de la synchronicité en elle-même ne suggère pas qu'une tradition religieuse soit meilleure qu'une autre. La synchronicité, ainsi que la nouvelle conscience spirituelle holistique que nous sommes en train de construire, exprime simplement le fait que le divin se manifeste concrètement dans notre vie. Toutes les grandes religions — hindouiste, bouddhiste, juive, chrétienne, musulmane —, ainsi que de nombreuses traditions chamaniques, affirment que l'on peut répondre à la volonté de Dieu. En d'autres termes, toutes ont le même objectif final : après une longue évolution les croyants ne feront plus qu'un avec une divinité ou communieront avec la force créatrice à l'origine de la condition humaine. Notre nouvelle conscience de la synchronicité ne reflète que la perception ou l'expérience de notre connexion avec cette force divine.

Quand j'étais jeune, je me souviens de m'être demandé comment je pouvais exécuter la volonté de Dieu. Je faisais alors partie d'une communauté protestante à la campagne. Même à cette époque, j'étais convaincu que ce temple et la communauté qui l'entourait étaient très particuliers. Le soutien de la communauté et des relations pleines d'amour amenaient encore les paysans à aider leurs voisins à construire une grange et à réagir rapidement quand un membre d'une famille était malade. Mes coreligionnaires pratiquaient le protestantisme d'une façon étonnamment ouverte et tolérante pour l'époque.

La découverte personnelle de Jésus, généralement aux alentours de 12-13 ans, découverte sanctionnée par une cérémonie spéciale, constituait l'élément central de la théologie de cette Église. Mais il y avait une hypothèse implicite : chacun devait trouver soi-même la volonté de Dieu et la suivre durant toute sa vie. Pendant mon enfance, je me suis senti frustré parce que personne ne m'a jamais expliqué en détail comment m'y prendre pour trouver puis suivre la volonté de Dieu. Bien sûr, à cette époque, les préoccupations séculières, matérialistes, dominaient complètement la société. Cependant je me posais de multiples questions : Quelle est la nature de ce Dieu avec lequel nous sommes censés communier ? Comment fait-on réellement l'expérience de la présence divine ? Comment se sent-on lorsqu'on est en harmonie avec l'intention divine ? À ces questions, les membres de ma congrégation n'apportaient aucune réponse. Néanmoins, l'expression que je lisais sur leur visage me fit comprendre qu'ils savaient, même s'ils ne trouvaient pas les mots adéquats pour l'exprimer.

Notre nouvelle conscience spirituelle doit maintenant répondre à ces questions de façon consciente. Au Moyen Âge, pendant des siècles, des ecclésiastiques corrompus ont tablé sur la peur et l'ignorance pour faire payer à leurs ouailles leurs bénédictions et le prix de leur salut. Et ils ont découragé tout progrès de la perception spirituelle chez leurs fidèles. D'ailleurs quelques-uns continuent à agir ainsi aujourd'hui. Mais la plupart d'entre nous comprennent l'importance d'une sensibilité spirituelle et de discussions partagées. Ceux qui appartiennent aux grandes religions établies se rendent de plus en plus compte que notre perception de la synchronicité représente une extension et une clarification des meilleurs éléments de chacune des traditions religieuses. Cette perception prouve qu'il existe une force divine qui agit dans notre vie, force dont notre intuition et notre foi ont toujours su l'existence.

COMMENT RÉPONDRE AUX SCEPTIQUES

Pour ceux d'entre nous qui commencent à mettre en pratique la nouvelle sensibilité spirituelle, le plus difficile est sans doute d'affronter les critiques des sceptiques. Une fois que nous admettons la réalité de la synchronicité, il nous arrive parfois de parler à quelqu'un qui réagit de façon négative à nos croyances et remet directement en cause la validité de nos expériences. Bien que le nombre des sceptiques diminue sans cesse, il existe encore beaucoup de partisans de la vieille conception matérialiste du monde qui considèrent comme extravagante et inutile toute conversation sur les phénomènes mystiques. Ce type de discussion menace directement leurs convictions : ils croient que leur bon sens suffit à déterminer ce qui est réel et rationnel dans le monde naturel.

Les sceptiques que nous rencontrons semblent se ranger dans deux grandes catégories. La plus importante regroupe ceux qui se sont toujours refusés à enquêter sérieusement sur les expériences mystiques dont ils ont pourtant entendu parler. Ils n'ont pas le temps ou le goût d'étudier de tels phénomènes, et adoptent donc sur ce sujet la position qu'ils jugent la plus prudente : ils la cataloguent comme absurde. Habituellement ces sceptiques vivent et travaillent entourés de nombreux incrédules, qui critiquent toute création ou hypothèse nouvelle et qui aiment ridiculiser leur prochain pour augmenter leur pouvoir personnel sur autrui. Dans ce genre de milieu, la plupart des gens adoptent une position strictement conformiste pour éviter tout conflit.

Il existe une deuxième catégorie de sceptiques : les partisans du matérialisme scientifique. Ils ont parfois exploré un peu le champ des expériences mystiques mais se retranchent toujours derrière les barricades du matérialisme, en exigeant des preuves objectives pour valider de telles affirmations. Et aucun argument ne trouve grâce à leurs yeux : pourtant, des expériences mystiques se produisent régulièrement depuis des siècles ; des milliers d'individus qui n'ont aucune relation les uns avec les autres relatent les mêmes phénomènes ; des études statistiques ont à de nombreuses reprises montré que les capacités intuitives et métapsychiques sont très répandues, etc.

Face à des sceptiques, plusieurs approches peuvent se révéler efficaces. D'abord, souvenez-vous qu'il faut toujours garder un certain degré de scepticisme. Évitez de prendre pour argent comptant une idée à la mode et examinez toute affirmation sur la nature de la réalité avec un regard critique.

Mais il existe un corollaire tout aussi important à ce principe, et nous l'oublions trop souvent : nous devons garder l'esprit suffisamment ouvert pour analyser le phénomène en question. Maintenir cet équilibre entre le scepticisme et l'ouverture d'esprit se révèle particulièrement difficile quand le phénomène touche à notre psychologie ou à notre spiritualité personnelles.

Je dois souligner encore deux principes importants : restons courtois et amicaux dans nos débats et cherchons toujours un terrain d'entente. Presque tous ceux qui ont aujourd'hui des perceptions mystiques ou spirituelles sont passés par une phase de scepticisme extrême à une période antérieure de leur vie. Dans ce sens, nous sommes tous d'ex-sceptiques. N'oublions pas que l'ouverture au côté mystique de la vie se produit principalement grâce à des interactions personnelles ; nous voyons une autre personne prendre au sérieux l'idée de l'expérience spirituelle, et ensuite nous décidons de mener des recherches sur ce sujet nous-mêmes.

Prenons donc chaque conversation au sérieux. Notre franche révélation ébranlera peut-être le mur derrière lequel se retranche notre interlocuteur. De plus, le contraire se produit parfois : le sceptique avec lequel nous parlons a parfois raison sur un point donné. L'action de ceux d'entre nous qui explorent les potentialités de l'expérience humaine sera inefficace s'ils ne cherchent pas à construire un consensus constitué de concessions réciproques. Nous devons tous écouter les autres pour apprendre. Seul un dialogue ouvert élargira notre perspective et aboutira à un point de vue commun.

PRENDRE AU SÉRIEUX LA SYNCHRONICITÉ

Entrevoir les coïncidences, puis engager un vaste dialogue à leur sujet sans tomber dans des interprétations négatives, telles sont les deux premières

44

expériences nécessaires pour mettre en pratique notre nouvelle conscience spirituelle. Cependant d'autres questions ne tarderont pas à émerger. Si la synchronicité que nous percevons prouve qu'une force spirituelle opère dans notre vie, pourquoi la culture occidentale a-t-elle ignoré ces événements mystérieux pendant si longtemps? Et pourquoi la conscience de la synchronicité surgit-elle maintenant, à ce moment de l'Histoire? Quel est le contexte historique global qui explique notre évolution actuelle?

Telles sont les questions qui nous amènent au prochain niveau de perception.

3

Comprendre où nous sommes

Quand nous nous réveillons le matin et regardons par la fenêtre, nous voyons que le monde moderne se prépare à vivre une nouvelle journée. Nos voisins quittent leur maison ou leur immeuble et partent au travail, en voiture ou avec les transports en commun. Au-dessus de notre tête nous entendons passer un avion. Un camion de livraison s'arrête pour approvisionner le supermarché situé au coin de notre rue.

Pour certains, la longue évolution historique qui a précédé ce jour-là, ce moment d'observation, se caractérise surtout par une série de progrès économiques et technologiques. Mais, pour la plupart d'entre nous, l'Histoire revêt une dimension plus psychologique. Comment en sommes-nous arrivés à vivre ainsi ? Comment notre réalité quotidienne a-t-elle été façonnée et formée par ceux qui sont venus avant nous ? Pourquoi croyons-nous ce que nous croyons ?

L'Histoire, bien sûr, fournit le cadre général de notre vie individuelle. Sans elle, nous vivrions seulement dans la réalité superficielle, limitée, héritée de notre enfance. Une compréhension adéquate de l'Histoire nous fait découvrir la profondeur et la substance du monde. Elle nous fournit un cadre de compréhension pour la réalité qui nous entoure, nous permet d'analyser qui nous sommes et nous offre un point de repère pour la direction que nous semblons emprunter.

REMPLACER LA COSMOLOGIE MÉDIÉVALE

L'histoire de notre vision moderne du monde, principalement occidentale, commence au moins il y a cinq siècles, avec l'effondrement de la conception médiévale du monde. Comme on le sait, l'Église dominait et façonnait la société. Certes, elle avait contribué à sauver la civilisation occidentale d'une désintégration totale après la chute de Rome, mais les ecclésiastiques avaient ainsi acquis un grand pouvoir : se fondant sur leur interprétation de la Bible, ils définirent le sens de la vie dans la chrétienté pendant mille ans.

Il est difficile d'imaginer notre ignorance, au Moyen Âge, en ce qui concerne les processus physiques de la nature. Nous connaissions très mal les organes du corps ou la biologie de la croissance des plantes. On croyait que les orages provenaient de dieux en colère ou des machinations d'esprits malveillants. La nature et la vie humaine étaient comprises en des termes strictement religieux. Comme Ernest Becker l'explique dans *The Structure of Evil*[1], la cosmologie médiévale considérait la Terre comme un grand théâtre religieux, situé au centre même de l'univers, et créé pour un seul grand but : sur cette scène, l'humanité gagnerait ou perdrait son salut. Chaque phénomène — les intempéries, la famine, les ravages causés par les maladies et les guerres — était créé uniquement pour mettre notre foi à l'épreuve. Et Satan orchestrait la symphonie de la tentation. Il était là, selon les ecclésiastiques, pour duper notre esprit, saboter notre travail, profiter de nos faiblesses, et ruiner nos espoirs de bonheur éternel.

Ceux qui seraient vraiment sauvés passeraient l'éternité dans une béatitude paradisiaque. Ceux qui échoueraient, qui succomberaient à la tentation, seraient damnés et jetés dans des lacs de feu — à moins bien sûr que l'Église n'intervienne. À cette époque, les croyants, face à une telle réalité, ne pouvaient pas s'adresser directement à Dieu pour obtenir son pardon, ni même déterminer exactement s'ils avaient réussi leur examen spirituel. En effet, les prêtres prétendaient être les seuls gardiens du divin et déployaient tous leurs efforts pour empêcher les masses d'avoir accès aux textes sacrés. S'ils aspiraient à l'éternité, au paradis, les hommes du Moyen Âge n'avaient pas d'autre choix que de suivre les règles souvent compliquées et capricieuses dictées par les puissants dirigeants de l'Église.

Cette vision du monde s'effondra pour de nombreuses raisons. L'expansion commerciale fit connaître de nouvelles cultures et de nouvelles conceptions qui mirent en cause la cosmologie médiévale. Les excès et les positions extrémistes des ecclésiastiques minèrent la crédibilité même de l'Église. L'invention de la presse à imprimer et la distribution, parmi les populations d'Europe, à la fois de la Bible et des livres écrits sous l'Antiquité fournirent directement des informations aux masses, phénomène qui à son tour aboutit à la révolution protestante[2].

Une nouvelle génération de penseurs — Copernic, Galilée, Kepler — s'attaquèrent au dogme de l'Église sur la structure du système solaire, les lois mathématiques qui régissent l'orbite des planètes, et même la place de l'homme dans l'univers[3]. Progressivement on remit en cause l'idée que la Terre se trouvait au centre de l'univers. Et avec l'apparition de la Renaissance, puis l'époque des Lumières, Dieu fut écarté de plus en plus des préoccupations conscientes quotidiennes.

ANGOISSE, DÉSORIENTATION

Il se produisit alors un important tournant historique dans la formation de la conception moderne du monde. La vision médiévale, si pervertie fût-elle, définissait au moins l'ensemble de l'existence. Cette philosophie bénéficiait de l'accord général et englobait l'ensemble des questions. Elle donnait un sens à tous les événements de la vie, y compris les raisons de notre passage sur terre, et les critères exigés pour pénétrer dans une dimension céleste, fort plaisante, après la mort. On expliquait la vie dans toutes ses dimensions.

Quand la cosmologie médiévale commença à s'effondrer, les Occidentaux furent plongés dans une profonde confusion en ce qui concerne le sens spirituel de leur vie. Si l'Église se trompait, qu'ils ne pouvaient pas lui faire confiance, alors quelle était leur situation exacte sur cette terre ?

Ils regardèrent autour d'eux et comprirent que, en fin de compte, ils se trouvaient seuls, sans savoir pourquoi, sur une planète qui évoluait dans l'espace au milieu de milliards d'autres étoiles. Il existait certainement un Dieu, une force de la création, qui les avait placés en ce monde dans un but précis. Mais maintenant ils étaient minés par le

50

doute et l'incertitude, l'angoisse que rien n'ait de sens. Comment trouver le courage de vivre sans avoir une idée claire d'un objectif spirituel? Au XVIe siècle, la culture occidentale se trouvait dans une phase de transition, l'humanité était coincée dans un no man's land entre deux visions du monde.

L'APPARITION DE LA SCIENCE

Les Occidentaux trouvèrent finalement une solution à leur dilemme: la science. Sur le plan philosophique ils étaient peut-être perdus, mais ils pouvaient adopter un système de pensée qui leur permettrait de se retrouver eux-mêmes: une vraie connaissance, libérée des superstitions et des dogmes caractérisant le monde médiéval.

La culture occidentale lança une sorte de gigantesque enquête pour découvrir notre situation réelle sur cette planète et construire un système organisé qui produirait du consensus. La science aurait les pleins pouvoirs et le mandat d'explorer l'inconnu (le vaste monde naturel, rappelez-vous, n'avait même pas encore été classifié, et encore moins expliqué à cette époque), pour découvrir ce qui s'y passait et l'expliquer aux gens.

Enthousiasmés, les Occidentaux crurent que la méthode scientifique réussirait, en fait, à découvrir même la nature réelle de Dieu, du processus de création à l'origine de l'univers. La science allait rassembler les informations nécessaires pour rendre aux hommes la certitude intérieure et le sentiment de comprendre le sens de la vie, sentiments qu'ils avaient perdus avec l'effondrement de la vieille cosmologie.

Mais si certains crurent découvrir rapidement la nature de notre véritable situation humaine, ils durent vite déchanter. Pour commencer, l'Église réussit à contraindre les scientifiques à ne s'intéresser qu'au monde matériel. De nombreux penseurs, comme Galilée, furent emprisonnés ou condamnés à mort par l'Église. Au fur et à mesure que progressait la Renaissance, une trêve instable fut conclue. Sensiblement diminuée mais encore puissante, l'Église réclamait obstinément le droit exclusif de veiller sur la vie mentale et spirituelle des êtres humains. Ce n'est qu'à contrecœur qu'elle accepta les recherches de la science, et elle insista pour que celles-ci ne s'appliquent qu'à l'univers physique : les étoiles, les orbites des planètes, la Terre, les plantes et le corps humain.

Grâce à cette répartition des compétences, la science se consacra au monde physique et obtint rapidement des résultats. On esquissa les grandes lignes de la réalité physique qui se trouve derrière la matière, de notre histoire géologique, et de la dynamique des conditions météorologiques. Les différents organes du corps furent décrits et classifiés et l'on analysa les opérations chimiques de la vie biologique. La science se mit à explorer en détail le monde extérieur, en prenant soin de ne pas s'interroger sur les implications de ces découvertes pour la religion.

UN UNIVERS MATÉRIALISTE

Sir Isaac Newton conçut la première représentation scientifique globale du fonctionnement du monde extérieur, en rassemblant les conceptions des premiers astronomes pour construire un modèle stable et prévisible de l'univers. Les théories mathématiques de Newton suggéraient que le monde fonctionnait suivant des lois naturelles immuables, fiables et utilisables dans la pratique.

Descartes avait déjà expliqué que tous les phénomènes de l'univers — la mise en orbite de la Terre et des autres planètes autour du Soleil, la circulation de l'atmosphère tout comme les schémas météorologiques, l'interdépendance entre les espèces animales et végétales — fonctionnaient de concert comme une grande machine cosmique, un ensemble de mécanismes, toujours fiables et insensibles à toute influence mystique [4].

Les théories mathématiques de Newton semblaient prouver cette hypothèse. Et une fois que cette conception holistique fut reconnue en physique, tout le monde crut que les autres disciplines scientifiques n'avaient plus qu'à remplir les cases vides, découvrir les miniprocessus, les leviers et ressorts plus petits qui faisaient marcher la grande horloge. Plus elle progressa, plus la science se spécialisa afin de mieux établir le plan général de l'univers physique. Elle se subdivisa en des disciplines de plus en plus limitées, classifia et expliqua de façon de plus en plus détaillée les éléments du monde qui nous entoure.

Le dualisme cartésien et la physique newtonienne créèrent une conception philosophique qui fut rapidement adoptée comme la vision du monde dominante des temps modernes. Elle promut un scepticisme empiriste, selon lequel toute idée sur l'univers devait être fondée sur des expériences quantitatives indiscutables.

Suivant les travaux de Francis Bacon, l'orientation de la science devint de plus en plus matérialiste et pragmatique et s'éloigna des problèmes fondamentaux de la vie et des objectifs spirituels de l'humanité. Si on les pressait de questions, les savants se référaient à une conception déiste de Dieu, selon laquelle une divinité avait la première mis en mouvement l'univers pour le laisser ensuite opérer de façon totalement mécanique.

LA SOLUTION DES LUMIÈRES

Les Lumières marquent un deuxième tournant capital dans la formation de la conception moderne du monde. Les Occidentaux s'étaient tournés vers la science pour découvrir les réponses à leurs questions spirituelles et existentielles fondamentales, mais la science ne s'intéressait plus qu'à la matière. Qui pourrait dire combien de temps il faudrait pour découvrir le sens véritable de la vie humaine ?

Il était évident que les Occidentaux avaient besoin, en attendant, d'une nouvelle bannière à laquelle se rallier et qui donnerait un sens à leur vie, d'une nouvelle conception à laquelle ils s'accrocheraient — et qui surtout occuperait leur esprit. À ce moment, la décision collective sembla être de se concentrer complètement sur le monde matériel, exactement comme la science le faisait. Après tout, la science découvrait une riche moisson de ressources naturelles, il n'y avait plus qu'à s'en emparer. Et nous utiliserions ces ressources pour améliorer notre situation économique, pour rendre plus confortable notre existence sur cette terre. Il nous faudrait peut-être attendre très longtemps pour connaître notre véritable situation spirituelle, mais en attendant nous pouvions rendre notre position matérielle plus sûre. La nouvelle philosophie, bien qu'elle fût temporaire, marquait une étape supérieure du progrès humain, un engagement à améliorer notre vie et celle de nos enfants.

Cette vision du monde eut au moins l'avantage de tranquilliser notre esprit. Le seul poids des tâches qu'il nous restait à accomplir nous occupait pleinement, tout en éloignant notre attention du fait que le vaste mystère de la mort, et donc celui de la vie lui-même, demeurait toujours aussi menaçant et inexpliqué. Un jour, à la fin de notre existence terrestre, nous devrions faire face aux réalités spirituelles, quelles qu'elles fussent. Entre-temps, cependant, nous limitions notre intérêt aux problèmes matériels quotidiens et tentions de faire du progrès lui-même, sur le plan personnel et collectif, l'unique raison de notre courte existence. Et cela devint notre support psychologique au début des temps modernes.

En cette fin du XXe siècle, on distingue aisément les gigantesques résultats de cette attention exclusive portée au progrès matériel. En quelques siècles, nous avons exploré le monde, fondé des nations, et créé un système commercial international impressionnant. De plus, la science a vaincu des maladies, développé de formidables moyens de communication et envoyé des hommes sur la Lune.

Cependant toutes ces réalisations ont eu un coût élevé. Au nom du progrès, nous avons exploité la nature au point presque de la détruire. Et sur le plan personnel, notre obsession de la réussite économique nous a servi à écarter nos angoisses, nos incertitudes. Nous avons ouvert les portes de notre esprit seulement à la vie matérielle et au progrès, n'admettant aucune autre réalité.

La culture occidentale a finalement commencé à se réveiller et à prendre ses distances avec cette attitude au milieu du XXe siècle. Nous nous sommes arrêtés, avons regardé autour de nous et avons commencé à comprendre à quelle étape de l'histoire de l'humanité nous nous trouvions. Ernest Becker a gagné le prix Pulitzer pour son livre *The Denial of Death* [5], où il montre clairement le mal que le monde moderne s'est fait à lui-même, sur le plan psychologique. Nous nous sommes focalisés sur l'économie, le monde matériel. Si nous avons si longtemps refusé d'envisager l'idée d'une expérience spirituelle profonde, c'est parce que nous voulions oublier le grand mystère de la vie.

C'est, à mon avis, la raison pour laquelle les familles tendent à abandonner aujourd'hui les personnes âgées dans des maisons de retraite. À lui seul, ce fait nous rappelle ce que nous avons évacué de notre conscience. Nous voulions fuir le mystère qui nous terrifiait. Le bon sens nous a longtemps interdit de croire en un univers où la synchronicité et d'autres capacités intuitives joueraient un rôle fondamental. Mus par la peur et le scepticisme pendant des siècles, nous avons rejeté les témoignages des hommes et des femmes qui avaient des intuitions ou observaient des coïncidences mystérieuses, faisaient des rêves prémonitoires, voyageaient hors de leur corps, avaient des perceptions extrasensorielles, des contacts avec les anges, passaient par des NDE (états de mort imminente), etc. Pourtant ces expériences se sont toujours produites et continuent à se produire à l'époque actuelle. Mais en parler ou même admettre la possibilité de leur existence menaçait l'hypothèse à laquelle nous nous accrochions : seul existait le monde matériel.

VIVRE DANS UNE PERSPECTIVE
À LONG TERME

Notre perception de la synchronicité dans notre vie reflète en fait une prise de conscience collective. Nous sommes en train de nous détacher d'une conception matérialiste du monde qui a dominé pendant des siècles. Maintenant, quand nous observons la vie moderne avec ses merveilles technologiques, nous voyons ce monde à partir d'une position plus intéressante, plus révélatrice sur le plan psychologique.

À la fin du Moyen Âge, nous avons perdu notre sentiment de certitude : nous ne savions plus qui nous étions, nous ignorions le sens de notre existence. Alors nous avons inventé une méthode d'investigation scientifique et lui avons demandé de découvrir la vérité sur notre situation. Mais la science s'est morcelée en de multiples disciplines, incapables de nous renvoyer une image d'ensemble cohérente.

Devant cet échec, nous avons écarté notre angoisse en nous intéressant exclusivement à des tâches pratiques, en réduisant notre vie seulement à sa dimension économique. Nous avons fini par être tous obsédés par les aspects pratiques, matériels de l'existence. Des savants ont mis au point une vision du monde qui renforçait cette obsession et pendant des siècles ils se sont perdus eux-mêmes dans cette conception. Cette cosmologie étriquée nous a coûté cher : elle a limité l'expérience humaine et a réprimé nos perceptions spirituelles — refoulement que nous découvrons finalement maintenant.

Quel est notre défi actuel ? Nous devons maintenant garder à l'esprit cette perspective historique, la conserver constamment dans la pratique, car le matérialisme exerce encore une certaine influence et essaie de façon dissimulée de nous ramener à la vieille conception. Rappelons-nous où nous sommes, redécouvrons la vérité des temps modernes, et intégrons-la à chaque moment de notre vie — car ce sentiment global de vitalité nous aidera à nous ouvrir et à nous préparer pour la prochaine étape de notre voyage.

Après avoir revisité notre Histoire avec un regard neuf, il nous faut reconnaître que la science n'a pas complètement manqué à ses engagements envers nous. De plus, une tendance sous-jacente, discrète, a toujours cherché à contourner et à dépasser l'obsession matérialiste. Au début du XXe siècle, un nouveau courant de pensée a façonné une description plus complète de l'univers et de nous-mêmes. Et cette description a finalement fait son chemin dans la conscience de la majorité des gens.

4

Pénétrer dans un univers qui nous répond

La publication en 1957 de *La Structure des révolutions scientifiques*[1] marque l'émergence d'une nouvelle vision scientifique de l'humanité et de l'univers. Ce livre de Thomas Kuhn fut le premier à nous alerter sur la façon sélective dont les scientifiques choisissaient l'objet de leur propre recherche et jugeaient le travail de leurs collègues.

Kuhn montra de façon convaincante que la *pensée paradigmatique* conduisait souvent les savants à exclure certains domaines de recherche, y compris des découvertes qui ne cadraient pas facilement avec les théories ou les constructions mentales dominantes. Qu'est-ce qu'un paradigme ? Un ensemble de croyances sur la réalité qui semblent évidentes et invariables. La pensée paradigmatique peut amener des individus (dans ce cas, des scientifiques) à défendre leur point de vue contre des preuves rationnelles. C'est exactement ce qui se passa avec le paradigme de Newton, objet d'une allégeance aveugle. Kuhn analysa aussi le problème de l'*investissement* personnel des scientifiques : ceux-ci construisent souvent leur carrière à partir de découvertes particulières, habituellement dans des universités ou des instituts privés, et ils ont ensuite tendance à défendre ces positions théoriques — puisqu'ils les considèrent comme la source de leur statut personnel — contre les nouveaux venus qui défendent des idées nouvelles, même si celles-ci sont objectivement meilleures et plus complètes.

À cause de ce problème, la science progresse souvent très lentement. Chaque génération doit prendre sa retraite avant que la suivante puisse voir ses réalisations acceptées. Kuhn suscita une vaste prise de conscience critique et créa une plus grande ouverture parmi une génération de scientifiques, juste au moment où un nombre important d'hommes et de femmes se rendaient compte qu'un changement majeur de paradigme allait se produire.

Newton pensait que le monde fonctionnait à partir de mécanismes purement physiques, qui ressemblaient à ceux d'une machine et ne subissaient aucune influence mentale ou mystique. Suivant ce paradigme, les autres sciences et sous-disciplines s'étaient fixé pour objectif de classifier et d'expliquer tous les éléments et les processus fondamentaux du monde.

Cependant, à la fin du XIXe siècle, à l'apogée du paradigme mécaniste, on remit en cause les hypothèses fondamentales de la physique qui avaient créé ce genre de science. Soudain, au lieu d'être un espace mort, sans âme, l'univers se mit à ressembler à un immense champ d'énergie mystérieuse et dynamique — une énergie qui sous-tend toutes choses et interagit avec elle-même d'une façon que l'on ne peut qualifier que d'*intelligente*.

LA NOUVELLE PHYSIQUE

L'idée que l'univers était intelligent apparut avec les travaux d'Albert Einstein, qui révolutionnèrent la physique en quelques décennies. Comme Fritjof Capra l'a montré dans *Le Tao de la physique*, Einstein surgit sur la scène au moment où les scientifiques avaient du mal à intégrer certaines données expérimentales en se servant de la vieille méthode. Le comportement de la lumière, par exemple, ne semblait pas cadrer avec la conception mécaniste newtonienne[2].

Maxwell et Faraday avaient montré en 1860 que la lumière pouvait très bien être décrite comme un champ d'oscillation électromagnétique qui déformait l'espace en le traversant sous la forme d'ondes. Cette idée d'une déformation de l'espace était clairement inimaginable dans le cadre newtonien, parce que, pour qu'elle cadre avec cette théorie, une onde avait besoin d'un support matériel pour voyager mécaniquement. Soucieux de résoudre ce problème, Faraday et Maxwell émirent l'hypothèse de l'«éther», un gaz omniprésent pouvant jouer ce rôle[3].

Grâce à une série de brillantes découvertes, Einstein affirma que l'éther n'existait pas et que la lumière se déplaçait dans l'univers sans le moindre support mais en déformant l'espace. Par la suite, Einstein posa comme principe que cet effet expliquait également la force de la gravité; il soutint que cette gravité n'était pas du tout une force, au sens traditionnel où Newton l'avait décrite, mais qu'elle résultait de la façon dont la masse d'une étoile ou d'une planète modifiait l'espace.

Selon Einstein, la Lune, par exemple, ne gravite

pas autour de notre planète parce qu'elle est atti-
rée par la plus grande masse de la Terre, qui la
tirerait derrière elle comme s'il s'agissait d'une
balle tournoyant au bout d'une corde. La Terre
déforme l'espace qui l'entoure, d'une façon qui le
rend courbe, de sorte que la Lune en réalité se
déplace sur une ligne droite, suivant les lois de
l'inertie, mais continue à graviter autour de notre
planète.

Pour Einstein, nous ne vivons pas dans un univers où l'espace s'étendrait vers l'extérieur, dans
toutes les directions et à l'infini. L'univers dans son
ensemble est courbé par la totalité de la matière
qu'il contient d'une façon incroyablement mystérieuse. Si nous devions voyager en suivant une
ligne parfaitement droite dans une direction donnée, suffisamment longtemps et sur une distance
suffisamment grande, nous retournerions exactement au point d'où nous sommes partis. Par conséquent l'espace et l'univers n'ont pas de limites,
bien qu'ils soient finis comme une sphère — ce qui
élude des questions comme : Qu'y a-t-il à l'extérieur de l'univers ? Existe-t-il d'autres univers ?
D'autres réalités dimensionnelles ?

Einstein poursuivit en affirmant que le temps
objectif est aussi modifié par l'influence de grandes
masses et par la vitesse. Plus intense est le champ
gravitationnel dans lequel une horloge est placée,
ou plus rapidement l'horloge elle-même voyage, et
plus lentement s'écoule le flux du temps, compara-
tivement à une autre horloge. Au cours d'une expérience imaginaire désormais fameuse, Einstein
démontra comment une horloge placée dans un
vaisseau spatial se déplaçant à une vitesse proche
de la lumière fonctionnerait plus lentement qu'une
horloge placée sur Terre. Les occupants du vais-

seau spatial ne remarqueraient pas la différence mais vieilliraient en fait beaucoup moins durant leur vol que leurs homologues restés sur notre planète[4].

Einstein expliqua également la constance de la vitesse de la lumière, quel que soit le mouvement additionnel ajouté ou soustrait à cette vitesse. Quand nous roulons en voiture, par exemple, et que nous jetons une balle devant notre véhicule, la vitesse absolue de la balle correspond à celle de l'auto, additionnée de la vitesse relative de la balle jetée en avant. Mais ce n'est pas le cas de la lumière. La vitesse de la lumière visible, ainsi que celle de tous les autres phénomènes électromagnétiques, est de 297 000 kilomètres par seconde. Même si nous nous déplaçons à 291 000 kilomètres par seconde et que nous braquions une lampe électrique devant nous, la vitesse de la lumière sortant de cette lampe n'est pas celle de sa vitesse ajoutée à notre propre vitesse : elle reste constante à 297 000 kilomètres par seconde. À elle seule, cette découverte, une fois qu'on l'a bien comprise, ébranle la vieille idée d'un univers mécanique.

Avançant sans doute son idée la plus révolutionnaire, Einstein affirma aussi que la masse d'un objet physique et l'énergie qu'il contenait étaient en fait interchangeables suivant la formule $E = mc^2$. En clair, Einstein montra que la matière n'était rien d'autre qu'une forme de la lumière[5].

L'œuvre d'Einstein eut le même effet que l'ouverture de la boîte de Pandore. Le paradigme s'éloigna de la notion d'un univers mécanique, et un courant de nouvelles découvertes commença à démontrer à quel point l'univers est mystérieux.

Des pionniers comme Niels Bohr, Wolfgang Pauli et Werner Heisenberg produisirent les premières données nouvelles avec la physique quantique. Depuis la Grèce ancienne, la physique avait cherché à trouver les composants essentiels de la nature, en divisant la matière en des éléments chaque fois plus petits. L'idée de l'atome fut confirmée, mais lorsque les physiciens distinguèrent des particules encore plus petites dans l'atome, les protons et les électrons, ils se rendirent compte de l'échelle étonnante que cela impliquait. Comme le raconte Capra, si le noyau d'un atome a la taille d'un grain de sel, alors les électrons se trouvent à des dizaines de mètres de lui.

De plus, ces particules élémentaires se comportaient d'une façon surprenante quand on les observait. Comme la lumière elle-même, elles semblaient agir aussi bien en ondes qu'en objets dotés d'une masse, selon le type d'expérience que choisissaient les scientifiques. En fait, au début du XXᵉ siècle, de nombreux physiciens quantiques suggérèrent que l'acte d'observation et l'intention des scientifiques affectaient directement le comportement et l'existence de ces particules élémentaires[6].

Peu à peu, les physiciens se demandèrent même si cela avait le moindre sens d'appeler ces entités des particules. En effet, elles ne se comportaient à aucun point de vue comme des éléments « matériels ». Si, par exemple, on les scinde en deux, les unités séparées se révèlent être des particules jumelles de même taille et de même nature. Et, plus étonnant encore, ces substances élémentaires communiquent entre elles, par-delà le temps et l'espace, d'une façon que ne peut admettre le vieux paradigme mécaniste. Des expériences ont montré que, si une particule est divisée en deux, et que l'on modifie l'état ou le spin de l'un des éléments jumeaux, alors l'autre se transforme automatiquement, même s'il se trouve très loin du premier[7].

Suite à cette découverte, le physicien John Bell conçut son célèbre théorème qui stipule que, une fois connectées, les entités atomiques le restent toujours — un phénomène tout à fait magique pour l'ancien point de vue newtonien. De plus, les dernières théories physiques sur les «supercordes» et l'hyperespace ajoutent encore du mystère à ce tableau : l'univers engloberait des dimensions multiples, incroyablement petites ; quant à la matière et à l'énergie elles se réduiraient aux vibrations des «cordes[8]».

Bien sûr, cette nouvelle description de l'univers par les physiciens affecta également les autres disciplines, en particulier la biologie. Obéissant au vieux paradigme, la biologie avait réduit la vie à des réactions chimiques et mécaniques. Et la théorie mécaniste de l'évolution proposée par Darwin avait permis à la biologie d'expliquer, sans faire référence à des facteurs spirituels, qu'il existait un vaste éventail de formes de vie sur cette planète, y compris l'espèce humaine, qui fonctionnaient de façon aléatoire dans la nature.

Que la vie ait évolué de formes plus petites jusqu'à des formes plus grandes sur cette planète est indéniable — les vestiges laissés par les fossiles en témoignent. Mais la description du nouvel univers mystérieux par les physiciens remit en cause la description matérialiste darwinienne de l'évolution.

Selon Darwin, les mutations se produisaient au hasard parmi la progéniture des membres de chaque espèce, donnant à leurs descendants des caractéristiques légèrement différentes. Si celles-ci se révélaient avantageuses, ces individus survivaient en plus grand nombre, et finalement la caractéristique nouvelle devenait une caractéristique générale de l'espèce. Selon lui, par exemple, quelques-uns des ancêtres de la girafe actuelle ont eu, par hasard, des longs cous, et parce que ce développement s'est révélé être un atout (car cela leur permettait d'atteindre plus de sources de nourriture), la progéniture de ces animaux a survécu en plus grand nombre et toutes les girafes ont fini par avoir de longs cous.

Dans l'univers matérialiste, dépourvu de mystère, l'évolution ne saurait être conçue d'une autre façon. Mais, aujourd'hui, on peut analyser différemment certains problèmes. En effet, les récentes projections de données montrent qu'un processus complètement aléatoire aurait été très lent, et que les formes de vie auraient eu besoin, pour atteindre chaque étape, de beaucoup plus d'années qu'elles n'en ont mis pour évoluer sur Terre. Par ailleurs, les fossiles à notre disposition n'attestent pas de l'existence de chaînons manquants ou de créatures transitoires indiquant le passage graduel d'une espèce à une autre[9].

Certes, les organismes multicellulaires ont succédé à des organismes monocellulaires. Les reptiles et les mammifères ne sont pas apparus avant que les poissons et les amphibiens se développent. Mais le processus a sans doute sauté d'une espèce complètement formée à la suivante, et la nouvelle espèce est apparue en même temps dans différents endroits de la planète. Les aspects mystérieux de l'univers décrit par la nouvelle physique suggèrent que l'évolution fonctionne selon un but plus défini que Darwin ne l'avait supposé.

En dehors de la biologie, la nouvelle physique affecta l'approche de bien d'autres disciplines —

66

en particulier la psychologie et la sociologie — car ses hypothèses changeaient radicalement notre vision de l'univers. Il n'est plus possible de penser que nous vivons dans un monde constitué uniquement d'une matière solide. Si nous sommes attentifs, nous savons que chaque chose autour de nous est un mystérieux schéma vibratoire d'énergie, la matière de la lumière... et cela nous inclut.

L'ÉNERGIE UNIVERSELLE, LE *CH'I* ET LE CHAMP DE L'ÉNERGIE HUMAINE

Les conceptions de la nouvelle physique et les philosophies orientales (hindouisme, bouddhisme, taoïsme) appréhendent la réalité de façon comparable sur certains points. La nouvelle physique considère le monde de la matière et de la forme comme un champ d'énergie quantique qui englobe tout. Sous la surface des choses du monde, il n'existe pas de composants essentiels de la nature, seulement un réseau interconnecté de relations d'énergie.

Les principales philosophies orientales défendent essentiellement la même position, mais au lieu d'arriver à cette conclusion au terme d'une expérimentation objective, elles y sont parvenues après des siècles d'attentive observation intérieure. L'univers qui nous entoure est essentiellement un tout indivisible, qui comprend une vie ou une force spirituelle — et nous pouvons le vérifier.

Chacune de ces religions a sa propre méthode pour obtenir une plus grande connexion avec l'univers dans son ensemble. Mais toutes affirment que les êtres humains, même s'ils sont intimement liés à cette énergie subtile (le *prana*, *ch'i* ou *ki*), sont habituellement coupés de ses niveaux supérieurs. Différentes disciplines liées à ces religions orientales — la méditation et les arts martiaux, par exemple — visent à renouer cette relation, et l'on a constaté des résultats spectaculaires. Des yogis orientaux ont déployé une force incroyable, contrôlé leur corps ou résisté à des températures très élevées ou très basses [10].

Selon certaines théories orientales, l'énergie qui circule chez les êtres humains se manifeste sous la forme d'un champ de lumière (ou aura) qui les encercle. Cette énergie est souvent perçue comme une lumière colorée qui émane de chaque être humain. La forme ou la tonalité distinctives de cette lumière reflètent l'être profond et le caractère de l'individu en question.

Dans les années 1950, lorsque les conceptions de la nouvelle physique se mirent à circuler dans les médias, les affirmations ésotériques de l'Orient, fondées strictement sur l'observation intérieure, commencèrent soudain à être prises plus au sérieux par les psychologues et les sociologues occidentaux. L'Orient avait créé un système dans lequel le potentiel de l'être humain était beaucoup plus ouvert et de plus grande portée. Plus ces concepts devenaient connus, plus le vieux paradigme éclatait dans les autres disciplines. La nouvelle physique nous avait offert une conception de l'univers différente, et désormais un mouvement similaire dans les sciences humaines allait nous apporter une autre compréhension de nous-mêmes.

LE MOUVEMENT DU POTENTIEL HUMAIN

Au milieu du XXᵉ siècle, la psychologie occidentale s'intéressait surtout aux rapports entre l'esprit de l'homme et ses actes — autrement dit, notre comportement. Suivant le paradigme mécaniste, les psychologues cherchaient à réduire toutes les actions humaines à un principe ou une formule uniques, d'où, par exemple, le modèle comportementaliste de l'interaction stimulus/réponse élaboré par le behaviorisme.

Une autre discipline importante, la psychiatrie, se préoccupait de la psychologie humaine et suivait, quant à elle, le modèle de la pathologie médicale créé d'abord par Sigmund Freud. Penseur de la fin du XIXᵉ siècle, le grand théoricien viennois avait attentivement observé la structure de l'esprit, fondant ses théories sur des concepts réductionnistes et biologiques acceptables pour le paradigme mécaniste.

Freud postula le premier que les traumatismes de l'enfance se traduisaient souvent par des peurs et des réactions névrotiques dont les êtres humains n'étaient généralement pas conscients. Il en conclut que le comportement des hommes était fondamentalement motivé par le besoin d'accroître le plaisir et d'éviter la douleur.

À la fin des années 1950, cependant, les mystères révélés par la nouvelle physique, l'influence croissante des philosophies orientales, et les mouvements concomitants de l'existentialisme et de la phénoménologie en Occident inspirèrent un troisième développement théorique dans la psychologie. Initiée par Abraham Maslow et un certain nombre d'autres penseurs et théoriciens, cette nouvelle orientation proposa une façon plus complète d'étudier la conscience humaine[11].

Rejetant le behaviorisme comme trop abstrait et les théories de Freud parce qu'elles accordaient trop d'importance au désir sexuel et à sa sublimation, ces scientifiques voulaient explorer l'esprit en se concentrant sur la perception elle-même. Sur ce point, ils furent profondément influencés par l'Orient, où l'on étudiait la conscience à partir de l'intérieur, en se préoccupant de la façon dont chacun perçoit effectivement sa propre conscience. Au fur et à mesure que notre vie progresse, nous regardons le monde à travers nos sens, nous interprétons ce qui se passe autour de nous selon nos souvenirs et nos attentes, et nous utilisons nos pensées et nos intuitions pour agir. On appela cette nouvelle démarche la psychologie humaniste, et elle se développa à pas de géant au cours des années 1960 et 1970.

Les psychologues humanistes ne nient pas que nous sommes souvent inconscients de ce qui motive notre comportement. Ils admettent que les êtres humains ont tendance à limiter leur propre expérience, et répètent souvent des scénarios et automatismes conçus pour réduire l'angoisse. Mais ils s'intéressent aussi à la façon dont nous pouvons nous libérer de certains comportements, dépasser nos scénarios et nous ouvrir à l'expérience spirituelle à notre disposition.

Cette nouvelle perspective conduisit à la redécouverte du travail de Carl Jung, le psychanalyste suisse, qui rompit avec Freud en 1912 pour développer ses propres théories, y compris le principe de la synchronicité. Selon Jung, lorsque nous observons le monde, nous ne cherchons pas seulement à éviter la douleur et à maximiser les plaisirs hédonistes, comme Freud le pensait, même si cela semble se passer ainsi au niveau inférieur de la conscience. Nous avons par-dessus tout besoin, affirmait Jung, d'atteindre une plénitude psychologique et de réaliser notre potentiel intérieur.

Dans ce voyage, nous sommes aidés par des outils déjà installés dans notre cerveau : les *archétypes*. Plus nous évoluons sur le plan psychologique, plus nous pouvons redécouvrir, ou activer, ces archétypes et ainsi progresser vers la réalisation de notre moi. Le premier stade de la croissance personnelle passe par la différenciation, étape durant laquelle nous devenons conscients de nous-mêmes et du milieu où nous sommes nés et avons commencé à acquérir notre personnalité propre. Nous devons trouver une niche pour nous-mêmes dans le monde que nous avons découvert durant notre enfance, donc acquérir une certaine formation, comprendre le fonctionnement de la société et décider d'une façon de gagner notre pain quotidien.

Lorsque nous effectuons ce parcours, nous affinons le pouvoir de notre ego et notre volonté, en remplaçant l'ensemble des automatismes que nous avons appris par une façon rationnelle d'interpréter les événements. Cela devient notre méthode pour nous défendre dans la vie, et élargir notre moi dans ce monde, en tant qu'individus uniques ayant des conceptions uniques. Cette étape passe d'abord par une phase où l'on est narcissique (égoïste), voire imbu de soi-même (égotiste), mais elle finit par activer complètement l'archétype du Héros. À ce stade, nous sommes prêts à trouver une mission importante dans la société ; nous nous sentons fiers et déterminés à l'accomplir.

Pendant que nous continuons à progresser,

nous dépassons la phase du héros et activons l'archétype du Soi, une étape de notre développement personnel durant laquelle nous dépassons un concept du moi fondé sur le seul contrôle de notre milieu. Nous acquérons alors une conscience davantage dirigée vers l'intérieur, où l'intuition et la logique coopèrent activement, et nos objectifs s'harmonisent davantage avec nos images et nos rêves intérieurs sur ce que nous voulons vraiment faire.

Selon Jung, durant cette phase se produit la réalisation de soi, et la perception de la synchronicité augmente. Bien qu'elle se manifeste brièvement à chaque étape, la perception des coïncidences significatives devient alors plus instructive. Les événements de notre vie réagissent à notre volonté de progresser, et la synchronicité augmente [12].

Grâce à Jung, on comprit mieux le contexte global qui explique l'apparition de blocages durant ce processus. De Sigmund Freud à Otto Rank, en passant par Norman O. Brown et Ernest Becker, se dessine une certaine progression des connaissances psychologiques. Les êtres humains fabriquent des opinions et des comportements (des scénarios) particuliers qui déterminent leur style de vie et auxquels ils s'accrochent de façon inflexible car ils leur permettent de chasser l'angoisse de leur conscience. Cela va des manies incontrôlables et des habitudes névrotiques jusqu'aux idées et croyances religieuses inébranlables. Tous ces scénarios ont un aspect commun : leur rigidité et leur résistance à tout débat ou discussion rationnels.

Les psychologues humanistes ont ensuite découvert que la société humaine se caractérise par des luttes de pouvoir irrationnelles visant seulement à conserver ces scénarios intacts. Et plusieurs pen-

seurs, dont Gregory Bateson et R.D. Laing, dessi-
nèrent les contours de ce processus[13].

On fit une découverte capitale : la double
contrainte, suivant laquelle les êtres humains écar-
tent toutes les idées proposées par les autres afin
de dominer les relations qu'ils ont avec eux.
Comme Laing l'a démontré, quand les parents
infligent cette attitude à leurs enfants, de tragiques
conséquences en découlent. Lorsque tout ce que
propose un enfant est soumis à la critique, celui-ci
se réfugie dans une attitude extrêmement défensive et développe des réactions excessives pour se
protéger. Quand ces enfants grandissent, leur attitude défensive et leur besoin de contrôler toutes
les situations les conduisent à utiliser inconsciemment des techniques de double contrainte, spécialement envers leurs propres enfants, et ainsi ce
rapport se perpétue d'une génération à l'autre.

Ces psychologues des interactions ont découvert
que ce mode de communication humaine se répandait dans la société comme une véritable épidémie,
créant une culture où chacun essayait, de façon
défensive, de contrôler et dominer autrui. Dans ces
conditions, la réalisation de soi et la créativité spirituelle étaient limitées, parce que la plupart des
individus s'efforçaient de dominer les autres et de
renforcer leurs scénarios, au lieu de s'ouvrir aux
possibilités que leur offrent la vie et les relations
avec leurs congénères.

Durant plusieurs décennies, ces découvertes
furent largement popularisées, particulièrement
aux États-Unis. Le livre du Dr Éric Berne *(Des jeux
et des hommes)* passait en revue les principaux scénarios et manipulations et les décrivait en détail.
I'm OK / You're OK, de Thomas Harris, expliquait
comment l'analyse transactionnelle aide à analy-

ser la véritable nature des conversations humaines et à progresser vers des relations plus mûres[14]. Une nouvelle conscience de la qualité de nos interactions fit son chemin dans notre culture, et on avança l'hypothèse qu'il était possible de dépasser ces comportements.

Plus se répandait l'idée humaniste qu'un niveau supérieur d'expérience était à notre portée, plus le mystère de notre existence lui-même fut largement débattu parmi les humanistes. La conception de l'évolution formulée par Darwin fut alors réévaluée, et remise en cause par des penseurs comme Pierre Teilhard de Chardin et Sri Aurobindo[15]. Selon eux, l'évolution ne se produit pas de façon arbitraire mais progresse vers un but déterminé. L'évolution de la vie, des premiers organismes aux animaux et plantes plus complexes, a un objectif, les êtres humains ne sont pas des accidents de la nature. L'évolution actuelle de notre société, y compris notre voyage vers les royaumes supérieurs de l'expérience spirituelle, marque l'aboutissement d'un plan divin bien antérieur.

Dans ses travaux, Rupert Sheldrake avance que les formes biologiques sont créées et soutenues par des champs morphogéniques. Ces champs n'ont, par nature, pas de localisation ; ils créent une structure invisible que les cellules, les molécules et les organes suivent au fur et à mesure qu'ils se différencient et se spécialisent pour créer une forme de vie particulière. De plus, ces champs évoluent avec le temps, alors que chaque génération d'une espèce est non seulement structurée par ces champs sous-jacents mais les modifie aussi lorsqu'ils viennent à bout de certains obstacles dans l'environnement.

Par exemple, un poisson, afin de se développer correctement dans sa niche biologique, peut avoir besoin de nouvelles nageoires pour nager plus rapidement. Selon Sheldrake, la volonté du poisson déclenche un changement dans le champ morphogénique de cette espèce qui se reflète dans le fait que sa progéniture développe exactement ces nageoires. Cette théorie avance l'hypothèse que les sauts constatés chez les fossiles se sont peut-être aussi produits de cette façon — lorsque les membres d'une espèce donnée créent un champ morphogénique qui produit non seulement des caractéristiques additionnelles, mais un saut vers une forme de vie entièrement nouvelle. Par exemple, un poisson a peut-être atteint la limite de son évolution dans l'eau et eu une progéniture qui était en fait une nouvelle espèce : les amphibiens, qui surent ramper jusqu'à la terre ferme.

Selon Sheldrake, ce processus pourrait également rendre compte de l'évolution sociale des hommes. À travers l'Histoire nous avons, comme d'autres formes de vie, repoussé les frontières de nos connaissances, et toujours cherché à évoluer vers une compréhension plus complète de notre environnement et la réalisation de notre potentiel intérieur. À tout moment, le niveau de capacité et de conscience humaine peut être analysé en termes de champ morphogénique partagé. Au fur et à mesure que les individus mettent en pratique certaines capacités particulières — courir plus vite, capter les pensées d'autrui, avoir des intuitions —, le champ morphogénique progresse et s'élargit non seulement pour eux mais pour tous les hommes. C'est pourquoi les inventions et les découvertes sont proposées souvent au même moment par des individus qui n'ont aucun contact entre eux.

À cette étape, les découvertes de la physique

moderne et les derniers résultats des recherches sur les effets de la prière et de l'intention ont commencé à fusionner. Nous sommes intimement connectés à l'univers, et les uns aux autres. L'influence de nos pensées sur notre monde est plus puissante que quiconque ne l'a jamais rêvé.

L'UNIVERS NOUS RÉPOND

Au cours des dernières décennies, des chercheurs en psychologie ont commencé à étudier sérieusement l'effet de nos intentions sur l'univers physique. Certaines des premières découvertes dans ce domaine concernèrent le bio-feedback. Des centaines d'études ont montré que nous pouvons influencer beaucoup des fonctions corporelles dont on pensait autrefois qu'elles étaient totalement contrôlées par le système neurovégétatif, y compris le rythme cardiaque, la tension artérielle, le système immunitaire et les ondes de l'activité électrique cérébrale. Presque tous les processus biologiques mesurables sont sensibles à notre volonté [16].

Des recherches récentes, cependant, ont prouvé que notre connexion et notre influence ont des effets bien plus importants. Nos intentions affectent aussi le corps des autres, leur esprit et le déroulement des événements dans le monde. La nouvelle physique a montré que nous sommes reliés d'une façon qui dépasse les limites de l'espace et du temps. Le théorème de Bell s'applique autant à nos pensées qu'au fonctionnement des particules élémentaires.

Personne n'a contribué davantage à la popularisation de cette nouvelle compréhension que le Dr Larry Dossey, qui a écrit une série de livres consacrés au pouvoir de l'intention et de la prière. En reprenant les recherches passées et actuelles, de F.W.H. Myers à Laurence LeShan, de J.B. Rhine au laboratoire de recherche de Princeton sur les anomalies en matière d'ingénierie, Dossey a présenté une liste impressionnante de preuves que nous pouvons traverser l'espace, et parfois le temps, pour modifier le monde [17].

Dans son livre *Recovering the Soul*, Dossey cite une étude où des sujets ont été rassemblés pour tester leur capacité à recevoir de l'information à de grandes distances. Lorsqu'on leur demande de nommer une carte tirée au hasard par une personne située à des centaines de kilomètres de là, ils sont non seulement capables de le faire avec une rapidité plus grande que ce qu'autorise la chance ou le calcul des probabilités, mais souvent ils reçoivent l'information avant même que la carte ne soit effectivement tirée.

Dans d'autres études conçues pour tester davantage cette capacité, des sujets ont pu indiquer un groupe de chiffres produits par un générateur de nombres aléatoires avant même que le programme ait fini son travail. Cette expérience et d'autres études semblables ont une signification et des implications capitales, parce qu'elles démontrent l'existence de capacités que beaucoup d'entre nous ont observées à de nombreuses reprises. Non seulement nous sommes reliés les uns aux autres télépathiquement, mais nous avons aussi une capacité précognitive ; nous sommes capables de capter des images ou des intuitions à propos d'événements à venir, particulièrement s'ils affectent notre vie et notre développement personnel [18].

Cependant nos capacités ont une portée bien plus grande. Nous pouvons non seulement recevoir des informations sur le monde avec notre esprit, mais aussi mentalement modifier la réalité. Dossey cite une étude, maintenant très connue, menée par le Dr Randolph Byrd à l'hôpital général de San Francisco. Elle concernait deux groupes de patients atteints d'un cancer du poumon : le premier, le groupe A, était au centre des prières d'un groupe de volontaires, mais pas le groupe B [19]. Dossey raconte que les individus du groupe A eurent besoin de cinq fois moins d'antibiotiques et eurent trois fois moins de liquide dans les poumons que les sujets du groupe de contrôle. De plus, aucun des membres du groupe A n'eut besoin d'une ventilation artificielle, contre douze personnes du groupe B.

D'autres études citées par Dossey montrent que la prière et l'intention fonctionnent aussi bien avec les plantes (davantage de graines poussent), les bactéries (le taux de croissance augmente) et les objets inanimés (la façon dont tombent des balles de polystyrène en est affectée) [20].

Un groupe d'études est parvenu à un résultat particulièrement intéressant. Bien que notre capacité de modifier la réalité fonctionne dans les deux cas, une intention non directive (on souhaite que l'issue *la plus favorable* se réalise sans pour autant formuler son opinion) fonctionne mieux qu'une intention directive (on pense intensément qu'un résultat spécifique doit se produire). Cela semble indiquer qu'il existe un principe (ou une loi) qui régit notre capacité de connexion avec le reste de l'univers et qui contrôle notre ego.

Les études citées par Dossey suggèrent également que nous devons connaître personnellement le sujet de notre prière et que l'intention globale, qui découle d'un sentiment de connexion avec le divin ou avec notre moi supérieur, est celle qui fonctionne le mieux. De plus, certaines expériences confirment que nos intentions ont un effet cumulatif. Autrement dit, les sujets pour lesquels on prie pendant une longue période bénéficient davantage de notre intervention que ceux pour lesquels on prie pendant une courte période.

Dossey cite aussi des études indiquant que nos opinions générales modifient la réalité tout comme nos intentions ou nos prières les plus conscientes. La fameuse expérience d'Oak School en offre un excellent exemple. Dans cette école on a affirmé aux professeurs qu'un groupe d'élèves, repérés par des tests, pourraient faire de grands progrès durant l'année scolaire. En fait ces enfants avaient été choisis complètement au hasard. À la fin de l'année, ces jeunes gens enregistrèrent des progrès significatifs non seulement au niveau de leurs résultats (qui peuvent s'expliquer par le fait que les professeurs leur ont consacré davantage d'attention) mais aussi dans les tests de QI conçus pour mesurer leurs capacités innées[21]. En d'autres termes, les préjugés favorables des enseignants firent évoluer la capacité réelle d'apprentissage de leurs étudiants.

Malheureusement, cet effet semble opérer dans un sens négatif également. Dans son récent livre *Be Careful What You Pray For, You Just Might Get It*, Dossey cite des études montrant que nos opinions inconscientes font parfois du tort à autrui. Supposons, par exemple, que nous priions pour que quelqu'un change d'avis ou s'arrête de se comporter comme il le fait, avant même de vérifier soigneusement s'il a raison ou non sur ce point. Ces pensées sortent de nous et créent un doute chez l'autre. Le même phénomène se produit quand nous avons des pensées négatives à propos des actes ou de l'apparence extérieure d'une autre personne. Très souvent nous n'exprimons pas ouvertement ce genre d'opinion, mais comme nous sommes tous connectés, elles jaillissent de notre esprit comme des poignards pour influencer l'opinion de quelqu'un à propos de lui-même, et parfois même son comportement[22].

Nous influençons aussi négativement la réalité de nos propres situations avec nos pensées inconscientes. Quand nous avons une opinion négative sur nos capacités personnelles, notre apparence, ou nos perspectives d'avenir, cela influence la façon dont nous nous sentons et ce qui nous arrive d'une façon très réelle.

VIVRE LA NOUVELLE RÉALITÉ

Nous distinguons dorénavant le tableau d'ensemble que nous offre la nouvelle science. Maintenant, quand nous flânons dans notre jardin ou dans un parc en admirant le paysage, par une belle journée ensoleillée, nous devons voir un nouveau monde. L'univers ne s'étend pas dans toutes les directions, sans limites. Physiquement infini, sa courbure le rend limité et fini. Nous vivons à l'intérieur d'une bulle d'espace/temps, et comme les physiciens de l'hyperespace nous avons l'intuition qu'il existe d'autres dimensions. Et quand, autour de nous, nous observons les formes à l'intérieur de cet univers, nous ne voyons plus une matière solide mais de l'énergie. Chaque chose, y compris nous-mêmes, n'est rien d'autre qu'un champ d'énergie, de lumière. Nous nous influençons et nous interagissons tous les uns sur les autres.

En fait, la plupart de ces descriptions de la nouvelle réalité ont déjà été confirmées par notre propre expérience. Il nous est tous arrivé une fois au moins de percevoir qu'une autre personne captait nos pensées, de savoir ce qu'un interlocuteur ressentait ou allait dire, de pressentir qu'un événement allait ou pourrait se produire. Et ces prémonitions ont souvent été suivies par des intuitions qui nous indiquaient où nous devions aller ou ce que nous devions faire pour être exactement au bon moment et au bon endroit. Notre attitude et nos intentions vis-à-vis des autres sont extrêmement importantes. Comme nous le verrons plus loin, quand nous pensons de façon positive, que nous élevons notre esprit et celui des autres en même temps, des événements incroyables se produisent.

Nous avons un défi à relever : mettre tout cela en application dans notre quotidien. Nous vivons dans un univers intelligent, rempli d'énergie et de dynamisme, qui nous répond. Les attentes et les opinions des autres rayonnent vers nous et nous influencent.

L'assimilation de la nouvelle conscience spirituelle passe par plusieurs étapes. Nous allons maintenant décrire les attentes et les mécanismes de domination des êtres humains, les luttes pour l'énergie qui les opposent, et apprendre à négocier avec les autres d'une façon plus efficace.

5

Dépasser les luttes de pouvoir

Les psychologues ont fait une découverte fondamentale quand ils ont identifié et expliqué la façon
dont les êtres humains entrent en concurrence et
cherchent à se dominer les uns les autres à cause
de leur profonde insécurité existentielle. Ce sont
cependant les philosophies et religions orientales
qui nous ont permis d'approfondir les soubasse-
ments psychologiques de ce phénomène.

Comme la science et le mysticisme le démontrent, les êtres humains sont essentiellement un
champ d'énergie. Cependant les philosophies orientales affirment que notre niveau normal d'énergie
demeure faible et plat tant que nous ne nous
ouvrons pas aux énergies absolues disponibles
dans l'univers. Lorsque cette ouverture se produit, notre *ch'i*, notre niveau d'énergie quantique,
s'élève à une puissance qui met un terme à notre
insécurité existentielle. Mais, en attendant ce
moment, nous cherchons fébrilement autour de
nous comment puiser de l'énergie supplémentaire
chez autrui.

Commençons par observer ce qui se passe réellement au cours d'une interaction entre deux êtres
humains. Un vieux dicton mystique affirme que

« l'énergie suit le trajet de l'attention ». Ainsi, quand deux personnes concentrent leur attention l'une vers l'autre, elles fusionnent littéralement leurs champs d'énergie, et mettent en commun leurs énergies. Le problème devient rapidement de savoir qui va contrôler cette énergie accrue. Si nous dominons l'autre au point de réussir à ce qu'il abandonne son point de vue, qu'il regarde le monde à notre façon, à travers nos propres yeux, alors nous accaparons deux énergies au lieu d'une. Nous éprouvons une sensation immédiate de pouvoir, de sécurité, d'autovalorisation, voire d'euphorie.

Mais nous éprouvons ces sentiments positifs au détriment de l'autre, car l'individu dominé se sent désorienté, est angoissé et a l'impression d'avoir été vidé de son énergie[1]. Nous avons tous connu ce genre de sentiment à un moment ou à un autre. Quand nous cédons devant quelqu'un qui nous a manipulés, a rendu notre esprit confus, nous a fait perdre notre équilibre, nous a fait éprouver de la honte, nous nous sentons soudain à plat. Et naturellement nous tentons de récupérer l'énergie que nous a prise l'autre, et ce par tous les moyens à notre disposition.

Ce processus de domination psychologique s'observe partout, et est à l'origine de tous les conflits irrationnels, qu'ils se déroulent entre les individus, les sociétés, les cultures ou les nations. Si nous faisons preuve de réalisme, nous nous rendons compte que, dans ce type de relation, chacun se bat pour obtenir de l'énergie, et cherche à manipuler les autres d'une façon très habile (souvent sans même s'en rendre compte). La plupart des manipulations utilisées dans ce but, la plupart des *jeux auxquels les gens jouent* sont le résultat de postulats sur la vie. En d'autres termes, elles forment le champ d'intention de l'individu.

Quand nous entrons en relation avec un autre être humain, nous devons garder tout cela à l'esprit. Chaque personne est un champ d'énergie incluant un ensemble de postulats et d'opinions qui rayonnent vers l'extérieur et influencent le monde. Ces croyances concernent aussi ce qu'un individu pense des autres, et la façon de «gagner» en conversant avec eux.

Pour atteindre cet objectif, chacun possède un ensemble unique d'opinions et de méthodes d'interaction, que j'ai appelés des *mécanismes de domination*. Ils couvrent toute une gamme d'attitudes allant de la plus passive à la plus agressive.

LA VICTIME

Il s'agit du mécanisme le plus passif. Dans ce scénario, plutôt que de lutter directement pour obtenir de l'énergie, la personne cherche à attirer les égards et l'attention de l'autre en manipulant sa sympathie.

Lorsque vous entrez dans le champ d'énergie d'une Victime, vous êtes immédiatement plongé dans une relation où vous occuperez une position marginale. Vous vous sentez subitement coupable sans aucune raison, comme si l'autre vous avait imposé ce comportement. Il vous dira : «Eh bien, je m'attendais à ce que tu m'appelles hier, mais tu ne l'as pas fait»; ou «Beaucoup de choses désagréables me sont arrivées dernièrement et tu étais injoignable.» Il ajoutera même parfois: «Bien d'autres événements terribles vont bientôt m'arriver, et je suis sûr que tu ne seras pas là non plus pour m'aider. »

Selon le type de relation que vous avez avec cette personne, celle-ci orientera la conversation sur un thème ou un autre. S'il s'agit de l'un de vos collègues, il vous confiera qu'il est submergé de travail ou qu'il n'arrive pas à respecter les délais — en insinuant que vous ne l'aidez pas assez. Si votre interlocuteur ne vous connaît guère, il vous tiendra seulement des propos négatifs sur la vie en général. Il existe des dizaines de variations, mais la stratégie et l'atmosphère sont toujours les mêmes. La Victime est en quête de sympathie et cherche à vous rendre responsable de sa situation, d'une manière ou d'une autre.

Sa stratégie vise à vous désorienter et à capter votre énergie en créant chez vous un sentiment de culpabilité ou de doute. Si vous acceptez cette culpabilité, vous vous arrêtez et regardez le monde à travers les yeux de l'autre. Dès que vous agissez ainsi, votre interlocuteur capte votre énergie, son moral remonte et il se sent plus sûr de lui.

Souvenez-vous que ce mécanisme est presque entièrement inconscient. Il découle d'une vision du monde et d'une stratégie personnelles pour contrôler les autres, acquises durant l'enfance. La Victime ne peut compter sur personne pour répondre à ses besoins d'affection et de bien-être ; le monde l'effraie trop, elle manque trop de confiance en elle-même pour prendre le risque d'exprimer directement ce qu'elle veut. Dans son univers, il n'existe qu'une façon raisonnable d'agir : tenter d'obtenir la sympathie en étalant ses blessures et en culpabilisant autrui.

Malheureusement, à cause de l'effet de ces croyances et intentions inconscientes sur la réalité, très souvent les Victimes laissent entrer dans leur vie les personnes mauvaises qu'elles redoutent tant de rencontrer. Et les événements qu'elles vivent sont fréquemment traumatiques. L'univers répond en produisant exactement le genre de situations auquel s'attend la Victime, et de cette façon le scénario se reproduit et se vérifie sans cesse. Sans le savoir, la Victime est prisonnière d'un cercle vicieux.

Comment se comporter face à une Victime

Lorsque vous entrez en relation avec une Victime, souvenez-vous que son objectif est de capter de l'énergie. Acceptez au départ de lui en donner, ainsi vous viendrez très rapidement à bout de ce scénario. (Dans le chapitre 9 nous aborderons plus précisément la façon d'envoyer de l'énergie.)

Demandez-vous ensuite si votre culpabilité est justifiée. Certes, au cours de votre existence, vous vous demanderez souvent si vous avez laissé tomber quelqu'un, ou bien vous éprouverez de la sympathie pour une personne en difficulté. Mais vous seul êtes à même de décider comment et quand vous devez aider quelqu'un qui en a besoin.

Une fois que vous avez donné de l'énergie à la Victime en sachant que vous vous trouvez face à un mécanisme de domination, mettez au jour ce mécanisme — discutez-en franchement avec l'autre[2]. Aucun jeu inconscient ne peut perdurer s'il est dévoilé et discuté franchement. Dites par exemple : «Tu sais, j'ai l'impression, en ce moment précis, que tu penses que je devrais me sentir coupable.»

Soyez prêt à affronter la réaction de l'autre avec courage. Même si vous abordez honnêtement cette situation, il peut interpréter vos propos comme un rejet. Dans ce cas, il vous rétorquera sans doute : « Oh, de toute façon, je savais bien que tu ne n'aimais pas ! » Dans d'autres cas, la personne se sentira insultée et se mettra en colère.

Incitez la personne à vous écouter et à poursuivre le dialogue. C'est très important. Mais cela ne marchera que si vous lui donnez constamment l'énergie qu'elle désire durant cette conversation. Surtout, persévérez si vous voulez que la qualité de la relation s'améliore. Dans le meilleur des cas, la personne entendra ce que vous dites lorsque vous désignerez son mécanisme de domination et elle s'ouvrira à un stade supérieur de conscience d'elle-même.

L'INDIFFÉRENT

Ce mécanisme de domination est un peu moins passif que le précédent. Lorsque vous commencez une conversation avec un Indifférent, il refuse de répondre clairement à vos questions. Il se montre distant, détaché, ses propos sont sibyllins. Par exemple, si vous lui demandez quel genre de vie il a menée jusqu'ici, il vous répondra de façon très vague : « J'ai roulé ma bosse », sans donner d'autres détails.

À ce moment vous poserez une autre question, ne serait-ce que pour mieux connaître votre interlocuteur. Vous direz : « Ah bon, et quels pays connais-tu ? » Et il vous répondra : « Un bon nombre. »

Vous êtes clairement devant un Indifférent qui crée une aura diffuse et mystérieuse autour de lui. Il veut vous forcer à investir votre énergie dans la recherche d'informations qui sont habituellement échangées de manière spontanée. Quand vous agissez ainsi, vous vous concentrez intensément sur le monde de cette personne, vous cherchez à lire dans ses yeux, vous essayez de comprendre son parcours, et vous donnez à l'autre l'énergie dont il a besoin et lui remontez le moral.

Rappelez-vous, cependant, que ceux qui répondent vaguement à vos questions ou refusent de vous faire des confidences ne sont pas tous des Indifférents. Ils peuvent souhaiter rester anonymes pour d'autres raisons. Chacun a le droit d'avoir un jardin secret, et de ne partager avec autrui que ce qu'il désire.

Mais le fait d'utiliser une stratégie de distanciation pour gagner de l'énergie est totalement différent. Pour l'Indifférent il s'agit d'une technique de manipulation : il cherche à vous attirer tout en vous maintenant à distance. Si vous en concluez que cette personne ne veut pas vous adresser la parole, par exemple — et qu'alors vous dirigez votre attention vers quelqu'un d'autre —, très souvent l'Indifférent cherchera à renouer contact avec vous, en lâchant quelques mots destinés à reprendre l'interaction et à capter votre énergie.

Comme la stratégie de la Victime, celle de l'Indifférent puise ses racines dans son passé. Habituellement, l'Indifférent n'avait pas la possibilité de partager librement ses sentiments quand il était enfant parce qu'il pensait que c'était dangereux ou périlleux de le faire. Dans un tel environnement familial, l'Indifférent a appris à toujours rester vague quand il communique avec les autres tout en cherchant à ce qu'on l'écoute pour capter leur énergie.

Comme la stratégie de la Victime, celle de l'Indifférent reflète un ensemble d'opinions inconscientes sur le monde. L'Indifférent croit que personne n'est digne de confiance, qu'il ne doit jamais faire de confidences sur sa vie privée, sinon elles seront utilisées contre lui plus tard, ou serviront à le critiquer. Et, comme toujours, ces conceptions rayonnent autour de l'Indifférent et provoquent le genre d'événements qu'il veut éviter, réalisant ainsi son intention inconsciente.

Comment se comporter face à un Indifférent

Souvenez-vous qu'il faut d'abord lui envoyer de l'énergie et de l'amour, et non adopter une position défensive. Il se sentira moins obligé de continuer sa manipulation. Lorsque cette pression intérieure disparaît chez lui, abordez le problème ouvertement pour que votre interlocuteur en soit conscient.

Comme dans le cas précédent, attendez-vous à deux réactions possibles :

— L'Indifférent souhaitera mettre un terme à votre relation et interrompre toute communication. Il s'agit bien sûr d'un risque à courir, mais si vous ne le prenez pas vous jouez le jeu de l'autre. Si votre intervention a un résultat négatif, votre franchise permettra peut-être que l'autre prenne conscience de son attitude un peu plus tard.

— Il désirera continuer la conversation tout en niant qu'il ait un comportement distant. Dans ce cas, comme toujours, demandez-vous si ses propos contiennent une part de vérité. Cependant, si vous êtes sûr de votre perception, maintenez votre position et continuez à dialoguer. Un nouveau modèle de comportement en résultera peut-être.

L'INTERROGATEUR

Plus agressif, ce mécanisme de domination est extrêmement répandu dans la société actuelle. Cette stratégie manipulatrice utilise la critique pour dérober de l'énergie aux autres.

En présence d'un Interrogateur, vous éprouverez toujours l'impression très claire d'être contrôlé par l'autre. En même temps vous vous sentirez forcé d'endosser un rôle, celui d'une personne inadaptée ou incapable de gérer sa propre vie.

Vous sentirez cela parce que votre interlocuteur vous aura plongé dans son univers mental. L'Interrogateur croit que la plupart des gens commettent de graves erreurs dans leur vie et qu'il a la charge de corriger cette situation. Par exemple, il vous dira : « Tu sais, tu ne t'habilles vraiment pas de façon assez élégante pour le type de boulot que tu as », ou : « J'ai remarqué que ta maison n'est pas très propre. » Ses critiques porteront aussi bien sur votre façon de travailler, de parler ou toute autre caractéristique personnelle. Peu importe la cible, pourvu que cela marche, que cela vous décontenance et vous fasse perdre votre assurance.

Quelle est la stratégie inconsciente de l'Interrogateur ? Il veut que vous en veniez à douter de vous-même pour que vous acceptiez ses critiques et adoptiez sa vision du monde. Quand cela se produit, vous regardez votre situation à travers les yeux de l'Interrogateur et lui donnez de l'énergie. Son but est de juger sans appel la vie des autres dès qu'il entre en contact avec eux, de leur faire adopter sa conception du monde, et d'obtenir ainsi un courant d'énergie continu.

Comme les autres mécanismes de domination,

celui-ci provient d'hypothèses sur la société, hypothèses que l'individu projette autour de lui. L'Interrogateur croit que le monde n'est pas en sûreté ou en ordre s'il ne surveille pas le comportement et l'attitude de chacun, et s'il ne les corrige pas. Dans ce scénario, il tient le rôle du Héros, de la seule personne qui soit attentive et s'assure que les autres agissent correctement, voire parfaitement. Habituellement, l'Interrogateur vient d'une famille où les parents n'étaient guère présents ou bien ignoraient ses besoins. Dans ce vide d'énergie insécurisant, l'Interrogateur obtenait de l'attention et de l'énergie d'une seule façon : en soulignant les erreurs et en critiquant le comportement des membres de sa famille.

Quand cet enfant devient adulte, il continue à croire à ces postulats sur la société et les êtres humains, et ceux-ci, en retour, modèlent la vie réelle de l'Interrogateur.

Comment se comporter face à un Interrogateur

Il faut rester suffisamment centré pour lui expliquer vos sentiments en sa présence. Évitez d'adopter une position défensive, envoyez-lui de l'énergie et de l'amour, tout en lui expliquant pourquoi vous vous sentez contrôlé et critiqué par lui.

L'Interrogateur refusera peut-être votre analyse, même si vous lui proposez des exemples. Réfléchissez : il est possible que vous vous soyez trompé et qu'il n'ait pas eu la moindre intention de vous dénigrer. Cependant, si vous êtes sûr de votre diagnostic, expliquez votre position dans l'espoir qu'un véritable dialogue s'engage.

L'Interrogateur pourra aussi retourner la situation et vous accuser d'être trop sévère avec lui.

Dans ce cas vérifiez s'il dit vrai. Si vous pensez avoir raison, décrivez-lui quels sentiments il suscite en vous.

Si l'Interrogateur affirme que ses critiques sont justifiées, qu'elles doivent être formulées et que vous évitez d'examiner vos propres défauts, écoutez-le attentivement et réfléchissez à son point de vue. S'il a tort, essayez de lui montrer pourquoi ses remarques sont soit inutiles, soit énoncées de façon inadéquate.

Chacun de nous s'est trouvé et se trouvera dans des situations où il sent qu'une autre personne n'agit pas dans son intérêt et où il a envie de lui signaler son erreur. Attention à la façon dont vous intervenez. Exprimez-vous avec modestie : « Si mes pneus étaient aussi usés que les vôtres, j'en achèterais tout de suite des neufs » ou : « Quand je me suis trouvé dans une situation semblable, j'ai quitté mon travail avant d'en trouver un autre et par la suite je l'ai regretté. »

Il existe des façons d'intervenir qui ne déstabilisent pas l'autre, ne minent pas sa confiance en lui-même comme le fait l'Interrogateur. Ces méthodes doivent être portées à sa connaissance. Certes il peut décider d'interrompre la conversation et refuser d'entendre ce que vous avez à lui dire, mais il s'agit d'un risque à courir si vous voulez rester fidèle à votre propre expérience.

L'INTIMIDATEUR

Il s'agit du mécanisme de domination le plus agressif. Quand vous entrez dans le champ d'énergie d'un tel individu, vous vous sentez non seulement vidé ou mal à l'aise, mais vous avez aussi l'impression de ne pas être en sécurité, voire d'être en danger. Le monde autour de vous semble inquiétant, menaçant, incontrôlable. L'Intimidateur dira et fera des choses qui suggèrent que sa rage ou sa violence peut éclater à tout moment. Il racontera comment il a fait du mal à d'autres personnes ou démontrera la force de sa colère en cassant ou jetant des objets dans la pièce.

Sa stratégie vise à attirer votre attention, et donc à capter votre énergie, en créant un environnement dans lequel vous vous sentez tellement menacé que vous vous concentrerez totalement sur lui. Quand une personne donne l'impression qu'elle pourrait perdre le contrôle de ses nerfs ou commettre un acte violent à n'importe quel moment, vous vous mettez à la surveiller très attentivement. Si vous êtes en train de lui parler, vous adoptez généralement son point de vue très rapidement. Bien sûr, quand vous observez son regard et cherchez (afin de vous protéger) à déceler ce qu'il pourrait faire, l'autre reçoit l'énergie dont il a désespérément besoin et son moral remonte.

Cette stratégie d'intimidation s'est habituellement forgée dans un environnement où le sujet était gravement privé d'énergie, confronté le plus souvent à d'autres Intimidateurs qui le dominaient et le maltraitaient quand il était enfant. S'il jouait les Victimes et voulait culpabiliser ses parents, cela ne marchait pas car personne ne faisait attention à lui. S'il jouait les Indifférents, son entourage ne remarquait rien. S'il jouait les Interrogateurs, il ne suscitait que la colère et l'hostilité. Par conséquent il ne lui restait plus qu'un seul choix. Il a donc supporté ses carences en énergie jusqu'à devenir suffisamment grand pour, à son tour, intimider autrui dans son intérêt.

Selon l'Intimidateur, la violence aveugle et l'hostilité dominent le monde ; chacun est totalement seul, désespéré, chacun rejette son prochain et personne ne se soucie d'autrui — et c'est exactement la situation dans laquelle il se retrouve, à cause même de sa conception de la vie.

Comment se comporter face à un Intimidateur

Cela s'avère difficile et dangereux. Dans la plupart des cas, mieux vaut éviter de se trouver en compagnie de ce genre de personnage[2]. Mais si vous êtes engagé dans une relation à long terme avec un Intimidateur, faites appel à un thérapeute. Comme dans les autres mécanismes, l'objectif du psy sera de redonner confiance à l'Intimidateur, lui communiquer de l'énergie et le soutenir, et le rendre conscient de son attitude. Malheureusement, beaucoup de ces personnes ne reçoivent aucune aide et vivent constamment entre la peur et la rage.

Nombre d'entre eux finissent entre les mains de la justice, et la société a sans doute raison, sur le court terme, de se protéger contre ces gens-là. Mais un système qui enferme des malades sans les soigner et ensuite les relâche ne comprend pas les racines du problème ou ne cherche pas à s'y attaquer[3].

DÉPASSER NOTRE MÉCANISME
DE DOMINATION

Nous avons presque tous, au cours de notre vie, entendu quelqu'un se plaindre de tel ou tel de nos comportements. Nous avons tendance à ignorer ces critiques ou à nous justifier pour ne pas être obligés de changer. Même si aujourd'hui nous savons que nous pouvons répéter des attitudes qui nous sont préjudiciables, il nous est très difficile d'observer notre comportement personnel d'une façon objective.

Dans les cas où un mécanisme de domination aux effets graves pousse quelqu'un à chercher une aide thérapeutique, des crises peuvent éclater et détruire des années de progrès et de croissance personnelle, et les vieux schémas réapparaître, même si le sujet pense les avoir surmontés. En fait, selon l'expérience des thérapeutes, la catharsis qui se produit pendant que l'on explore les premiers traumatismes de l'enfance n'est que le début d'un long processus[4]. Nous savons maintenant que, pour mettre un terme à ces tentatives inconscientes de dérober de l'énergie et de se rassurer, il faut se concentrer sur le fondement profond, existentiel du problème. Il faut aller au-delà d'une compréhension intellectuelle de celui-ci pour trouver une nouvelle source de sécurité qui fonctionnera, quelles que soient les conditions extérieures.

Je fais ici référence à un type de catharsis différent — celle que les mystiques ont expérimentée à travers l'Histoire et dont nous entendons parler de plus en plus. Une fois que nous prenons conscience de la compétition générale qui existe dans cette société pour obtenir de l'énergie, nous pouvons passer à l'étape suivante : nous observer attentivement, identifier l'ensemble particulier d'idées et d'intentions qui fondent notre mécanisme de domination, et trouver une autre expérience qui nous permette de nous ouvrir à notre énergie intérieure.

6

L'expérience mystique

L'importance de l'expérience mystique a commencé à être massivement perçue dans la culture occidentale à partir de la fin des années 1950, surtout suite à la vulgarisation des traditions hindouiste, bouddhiste et taoïste par des écrivains et des penseurs comme Carl Jung, Alan Watts et D.T. Suzuki[1]. Cette dissémination des idées s'est poursuivie au cours des décennies suivantes à travers une multitude de livres, y compris ceux de Paramahansa Yogananda, J. Krishnamurti et Ram Dass[2]. Tous ces auteurs affirment que chacun d'entre nous peut faire l'expérience d'une rencontre intérieure mystique.

Durant ces mêmes décennies, un large public a commencé à s'intéresser à la riche tradition ésotérique de la spiritualité occidentale. Les réflexions de saint François d'Assise, Maître Eckhart, Emanuel Swedenborg et Edmond Bucke ont toutes connu un regain d'attention, parce que ces penseurs, à l'instar des mystiques orientaux, croient en la possibilité d'une transformation intérieure[3].

Nous avons finalement atteint une étape où les expériences personnelles transcendantales — qu'on les appelle illumination, nirvana, satori, transcendance ou conscience cosmique — bénéficient d'une large acceptation. Elles font partie intégrante de notre nouvelle conscience spirituelle. De plus en plus, notre culture reconnaît non seulement que les rencontres mystiques existent mais que le commun des mortels peut en faire l'expérience.

DE LA THÉORIE À LA PRATIQUE

La culture occidentale a commencé à explorer l'expérience mystique au cours de longues discussions et spéculations intellectuelles. Nous devions d'abord nous familiariser avec de nouveaux concepts et trouver une façon personnelle de les insérer dans la conception occidentale du réel. Ces débats ont stimulé notre intérêt et jeté une lumière nouvelle sur nos idées spirituelles abstraites, sur des notions comme la *communion avec Dieu*, la *quête intérieure du royaume intérieur* ou la *renaissance chrétienne*.

Dans un sens, cependant, ces discussions restaient désincarnées, se limitaient à l'abstraction, capacité caractéristique de l'hémisphère cérébral gauche[4]. Même si nombre d'entre nous avaient l'intuition que de telles rencontres étaient possibles, peu avaient en fait vécu de véritables moments de transcendance. Cependant la diffusion de ces idées a continué, et l'on peut penser que bientôt la majorité des habitants de notre planète aura connaissance de ces expériences. De plus en plus nous entendons des personnes de notre entourage raconter leurs rencontres mystiques, et cela dépasse donc le petit cercle des livres et conférences pour initiés. L'idée devient de plus en plus une réalité vécue — affirmée par les autres et exprimée avec une cohérence qui nous enseigne que les expériences intérieures, transcendantales, peuvent être réellement vécues par le commun des mortels.

Cela nous a aidés à être plus honnêtes, en particulier avec nous-mêmes. Si nous regardons à l'intérieur de nous-mêmes et nous rendons compte que nous n'avons pas encore fait de telles rencontres, alors notre quête d'expériences transcendantales peut devenir une priorité absolue. Et nous avons compris aussi que ces rencontres intérieures, qui transforment ceux qui les font, se produisent de nombreuses façons, en empruntant de nombreux chemins.

Peu importe la religion, la pratique ou l'activité qui nous amènera à faire cette expérience : seule compte la perception intense, mystique, qui est notre objectif. L'expérience elle-même élargit notre conscience et nous imprègne d'une sensation de sécurité, de bien-être et de lucidité, inimaginable auparavant.

TRANSCENDANCE ET SPORT

Chacun a entendu parler des expériences limites que l'on peut faire en pratiquant un sport ou un exercice physique. Dans de tels cas, notre conscience se modifie, et cela se traduit d'abord par une sensation de totale immersion dans l'action. Notre corps se sent différent, comme s'il se mouvait plus efficacement, avec plus de grâce, et qu'il s'accordait plus complètement avec notre objectif.

Plutôt que d'être un élément séparé de l'activité physique, d'observer l'action et de réagir ensuite, nous faisons partie de ce flux, de la totalité de ce moment, comme si nous savions à l'avance ce qui allait se passer, où la balle va aller, ce que les autres joueurs vont faire. Nous réagissons spontanément, de façon concertée avec les autres, afin de nous trouver au bon endroit et au bon moment.

Souvent, le temps lui-même se modifie, ralentit. Quand nous sommes dans un état normal, nous avons habituellement l'impression que le jeu va trop vite, que nous courons constamment pour combler notre retard, que nous luttons pour anticiper les actions des autres. Mais dans ces expériences limites, ces points culminants, le temps ralentit tandis que notre conscience atteint un plan plus élevé, presque omnipuissant. Dans un tel état, nous semblons avoir tout le temps du monde pour frapper la balle ou sauter pour l'attraper dès le premier rebond. Quand nous observons des athlètes qui jouent à ce niveau, nous avons l'impression qu'ils défient la gravité, qu'ils demeurent au-dessus du sol plus longtemps que cela ne semble possible, et qu'ils mènent des actions spectaculaires qui les élèvent instantanément à une autre dimension.

Au cours des deux dernières décennies, de nombreux livres ont décrit la dimension intérieure cachée de chaque sport, en particulier du golf. Le livre de Michael Murphy, *Golf in the Kingdom*, s'est vendu à plus d'un million d'exemplaires parce qu'il raconte parfaitement l'expérience intérieure associée à ce sport[5]. Le golf bénéficie d'une popularité croissante dans le monde, parce qu'il offre des récompenses et propose des défis spéciaux. Il faut frapper une petite balle blanche, qui n'a que 2,54 centimètres de diamètre, avec un club très long, dont la tête n'est guère plus grande que la boule elle-même. Les défenseurs de ce sport affirment souvent que le golf est le plus difficile des jeux, précisément pour cette raison. Certes, il faut frapper une balle qui ne bouge pas, mais cela même crée des difficultés supplémentaires : le joueur est seul avec lui-même, il fait face à la pression du long swing qu'il doit effectuer et du chemin relativement étroit qui mène à une cible éloignée. Dans d'autres jeux, le rythme de l'action et le mouvement de la balle nous permettent parfois de relâcher notre tension intérieure, et aussi de réagir aux actions d'autrui. Sur les terrains de golf, le joueur lutte constamment contre les conséquences désastreuses de la peur, de la tension et d'une réflexion trop intense, tout en entamant son swing à partir d'une position totalement immobile.

Peut-être ce défi intérieur augmente-t-il le pouvoir d'attraction de ce sport et nous permet-il de reconnaître aussi facilement une expérience limite. Notre esprit identifie parfaitement le moment où notre corps prend vraiment la situation en main, se met à opérer sans effort, et où notre volonté semble conduire la balle jusqu'à la cible.

LA DANSE ET LES ARTS DU MOUVEMENT

Chacun a pu voir des danseurs flotter quasiment dans les airs et des pratiquants des arts martiaux accomplir des gestes d'une totale coordination. Ces activités représentent un autre moyen d'effectuer une expérience transcendantale. Comme les derviches tourneurs soufis, beaucoup de formes de danse nous font sortir de notre état de conscience ordinaire et nous mettent en contact avec notre conscience spirituelle intérieure.

Comme les sportifs, les danseurs sentent que leur conscience s'élargit, en même temps que leur coordination musculaire atteint son apogée. De plus, beaucoup d'entre eux vivent des expériences extatiques lors de danses improvisées, libres, où les mouvements sont spontanés et la pensée repoussée tout à fait à l'arrière-plan. Pendant ces moments, ils semblent être la danse, expriment un aspect intérieur de leur être et touchent leur moi profond.

Les arts martiaux cultivent un degré supérieur d'énergie spirituelle pour l'utiliser dans des mouvements et des performances physiques. À travers une gestuelle et une attention répétées, ces pratiques amènent graduellement à un abandon conscient des méthodes ordinaires de concentration et d'être.

PRIÈRE ET MÉDITATION

La prière et la méditation, deux des méthodes les plus traditionnelles, conduisent souvent à des expériences de transformation intérieure. Chacune des grandes religions utilise une de ces formes de communication avec le divin. Habituellement, quand nous prions, nous faisons appel à un créateur divin ou à une force divine pour une raison ou une autre ; nous demandons de l'aide, des conseils ou un pardon au sens actif. Nous avons en tête un objectif. Mais nous prions aussi simplement pour le seul plaisir de la communion ou de la connexion.

Dans ce dernier cas, la prière ressemble beaucoup à la méditation — elle calme l'esprit, éloigne le bavardage de l'ego, organise une connexion spirituelle. Certaines traditions religieuses suggèrent d'utiliser un mantra (ensemble de mots ou de sons répétés que nous invoquons ou sur lesquels nous nous concentrons) pour aider ces efforts. Lorsque d'autres pensées émergent, la personne qui médite laisse ces idées partir, puis se reconcentre sur le mantra et la quiétude de la méditation. À un certain point, les idées désordonnées, fortuites, disparaissent et celui qui médite approfondit la relaxation jusqu'à ce que le sentiment de son moi ordinaire s'élargisse et se transforme en une expérience de la transcendance.

La prière, comme la méditation, peut conduire à une expérience de transformation intérieure, où notre connexion avec le divin induit un état extatique durant lequel nous ne faisons plus qu'un avec la totalité de l'univers.

LES SITES SACRÉS

De tous les chemins qui mènent à l'expérience mystique intérieure, le changement de conscience qui se produit parfois dans les sites sacrés et les régions sauvages est le plus fascinant. En un sens, tous les lieux de notre planète sont sacrés, et la transformation mystique peut se produire n'importe où. Cependant, à travers l'Histoire, certains lieux ont prouvé qu'ils facilitaient plus que d'autres l'accession à de tels états de conscience mystique.

Habituellement, ces sites ont des caractéristiques physiques très spécifiques. D'abord, ils sont presque toujours incroyablement beaux. Ils contiennent des cascades, de grandes forêts cathédrales, ou offrent de vastes vues panoramiques sur un paysage de rochers et de déserts. Ou bien ils abritent des objets artisanaux ou des ruines qui conservent l'énergie de peuples très anciens. En tout cas, leur majesté et l'apparence naturelle du site élèvent et élargissent notre conscience intérieure.

Il suffit d'y marcher quelque temps et, si nous faisons preuve d'un petit peu d'ouverture, nous commençons à nous sentir différents, plus que nous-mêmes. Nous sommes en totale harmonie avec tout ce qui nous entoure, avec l'ensemble de la création, sensation qui nous remplit de sécurité, de bien-être et de sagesse.

Comment localiser les sites sacrés

La plupart d'entre nous connaissent des sites mystiques célèbres tels que Stonehenge, les pyramides d'Égypte, le Grand Canyon ou le Machu Picchu, mais les sites sacrés n'ont pas besoin d'être aussi connus ; on peut les trouver dans chaque État ou comté des États-Unis et partout dans le monde. Beaucoup ont été évoqués par les peuples primitifs dans leur art et leur folklore. D'autres, cependant, n'ont jamais été signalés ou décrits à notre époque, et se trouvent dans les quelques contrées sauvages qui existent encore sur cette planète.

Pour cette raison, vous et moi devons les redécouvrir — une quête qui s'opère déjà. Dans la plupart des cas, quelqu'un a au moins une intuition sur l'emplacement de ces endroits spéciaux, et sur la personne qui pourrait être leur protecteur potentiel. Si vous ne savez pas où se trouvent ces sites dans votre région, posez des questions aux organisations du troisième âge ou aux personnes âgées que vous connaissez. Vous découvrirez normalement une masse d'informations et parfois des témoignages à propos du pouvoir d'un site local. Vous pourrez être attristé par certains récits relatant comment des endroits spéciaux ont été brutalement détruits par des opérations de déboisement, la construction de mines ou des projets immobiliers mal planifiés.

Vous pouvez aussi repérer ces sites en vous rendant dans la forêt domaniale ou le parc national le plus proche de chez vous et en menant votre propre enquête. Juste derrière la première colline, vous trouverez peut-être un endroit qui aura un incroyable pouvoir pour vous. Passez-y un peu de temps et testez-le.

Vous voudrez également que personne ne menace ces lieux, car ils sont en train d'être détruits à une grande vitesse. Aux États-Unis, même sur les terres appartenant au gouvernement fédéral, le Congrès permet encore à des multinationales de déboiser certaines des dernières étendues sauvages, des régions très belles qui contiennent des arbres plusieurs fois centenaires. La plupart des citoyens ne sont pas conscients du mal que les grandes entreprises causent actuellement à l'héritage de nos enfants.

LES CRITÈRES DE L'EXPÉRIENCE MYSTIQUE

Alors que la synchronicité nous pousse vers la prochaine étape — faire une expérience mystique directe —, nous sommes tentés d'intellectualiser seulement ce voyage. Certes, le fait d'aimer l'idée d'une transformation mystique, d'être fasciné par ce phénomène, d'y penser souvent, représente un premier pas. Mais une croyance abstraite n'équivaut pas à une expérience concrète.

Le vieux paradigme matérialiste nous incite constamment à penser, à analyser les lieux et les choses et à entretenir des relations avec eux à partir de cette perspective théorique. Personne ne peut juger si vous avez expérimenté ou non une telle ouverture intérieure au divin. C'est pourquoi ces expériences ont toujours été aussi insaisissables et mystérieuses. Et cela va bien plus loin que le simple fait d'admirer intellectuellement la beauté d'un site particulier, que la sensation de détente et de confort qui nous envahit après une prière ou une méditation, ou l'allégresse ressentie après un succès sportif ou à la fin d'un jeu.

Nous devons tous découvrir cette expérience spirituelle si nous ne l'avons jamais éprouvée auparavant. Elle élargit notre sentiment du moi à partir de l'intérieur, transforme notre compréhension de ce que nous sommes, et nous ouvre à l'intelligence qui se trouve derrière l'univers. C'est pourquoi très souvent il nous faut attendre de faire nous-mêmes ce type d'expérience avant de pouvoir exactement comprendre de quoi il s'agit. Sinon, nous ne saisissons pas à quel point cela nous affecte concrètement.

Certes, le fait que l'on débatte de plus en plus des expériences transcendantales nous aide. Les mystiques ont toujours expliqué qu'aucun mot ne saurait décrire une rencontre avec l'absolu — et je crois qu'ils ont raison. D'un autre côté, il semble exister certains critères communs entre ces phénomènes. Ils peuvent nous guider le long du chemin et nous aider à décider si nous vivons effectivement une telle expérience.

UNE SENSATION DE LÉGÈRETÉ

Durant une expérience mystique, au lieu de lutter contre la gravité, de nous propulser avec nos pieds lorsque nous nous levons ou marchons, nous nous sentons comme dans un ascenseur qui descend rapidement. Notre sensation de lourdeur décroît et nous avons presque l'impression de flotter.

Ce phénomène se produit dans toutes les rencontres mystiques, que ce soit durant la prière, la méditation, la danse, ou n'importe quelle autre activité. Nous sommes en train de pratiquer le yoga, le tai-chi-chuan ou de marcher dans un lieu d'une grande beauté, quand tout à coup la perception de notre corps commence à changer. Une énergie nous remplit de l'intérieur, et chasse en même temps la tension de nos muscles et le stress. Notre sens du mouvement se modifie également. Au lieu de nous déplacer avec l'impression que chacun de nos muscles exerce une poussée vers l'extérieur, contre le sol ou le plancher, tout notre corps se met à bouger à partir d'une position centrale, au milieu du buste.

Quand nous nous levons ou marchons, il nous est plus facile de bouger nos bras et nos jambes parce que l'énergie pour le faire émane désormais de cette source centrale. En fait, sa puissance nous donne le sentiment que nous flottons ou planons au-dessus du sol. Cela explique pourquoi les disciplines du mouvement (yoga, danse et arts martiaux) conduisent souvent à la transcendance intérieure. Elles nous permettent d'expérimenter la gravité d'une nouvelle façon, de faire appel à notre énergie intérieure. Quand elle pénètre pleinement, nous nous sentons en pleine expansion, au point que notre corps bouge en adoptant une position parfaite. Notre tête se redresse et s'étire au maximum des capacités de notre colonne vertébrale. Notre dos se sent plus fort, se tient bien droit grâce à sa propre énergie, plutôt qu'en raison d'un effort musculaire intentionnel.

Une sensation de légèreté nous indique précisément que nous sommes en train de vivre une expérience mystique. Nous sommes capables de la mesurer ; lorsque nous atteignons le plan transcendantal, nous avons l'impression de flotter, comme si une bulle d'énergie spirituelle avait commencé à gonfler à l'intérieur de nous.

PROXIMITÉ ET CONNEXION

Durant une expérience intérieure transcendantale, notre degré d'intimité avec notre environnement matériel se modifie également. Chaque objet paraît soudain plus proche de nous. Cela peut se produire pendant n'importe lequel des voyages mentionnés vers le plan mystique, mais les effets en sont intensifiés quand nous nous trouvons dans un endroit d'où l'on peut voir à une grande distance.

Par exemple, un nuage qui flotte au loin dans le ciel acquiert soudain des contours plus prononcés dans notre conscience. Plutôt que de faire partie d'un arrière-plan banal et plat, il se détache maintenant, sa forme et sa présence se précisent. Soudain nous avons l'impression qu'il est plus proche de nous, comme si nous n'avions plus qu'à tendre le bras pour le toucher avec notre main. Dans cet état de conscience, d'autres objets paraissent plus proches de nous également : une montagne, des arbres sur une pente, des ruisseaux dans une vallée. Tous ces éléments semblent maintenant avoir davantage de présence et d'allure, même s'ils sont très éloignés. Ils nous sautent littéralement au visage et exigent notre attention.

Proximité et entente avec l'univers vont de pair, comme le décrivent couramment les mystiques qui ont l'impression de ne faire qu'un avec toute chose. Lorsque nous sommes dans cet état de conscience et observons notre environnement, chaque chose semble faire partie de nous, et cela dépasse le simple fait que notre relation aux éléments extérieurs passe par le canal de nos yeux. Comme Alan Watts l'explique, nous sentons que tout ce qui nous entoure fait partie de notre moi élargi, cosmique, et voit à travers nos yeux[6].

SÉCURITÉ, ÉTERNITÉ ET AMOUR

Nous avons déjà exposé les importantes découvertes faites à la fois par les mystiques et les psychologues des profondeurs — notamment que les êtres humains tendent à être anxieux, angoissés, à se couper de leur source intérieure. Atteindre une conscience existentielle complète peut sembler souvent inquiétant, nous remplir d'appréhension, car la menace de la mort occupe notre esprit. Face à cette angoisse, comme nous l'avons vu, l'humanité a adopté historiquement deux attitudes. Les hommes sont devenus inconscients et ont repoussé la réalité de leur insécurité à l'arrière-plan en créant une culture qui offrait beaucoup d'activités et de diversions et prônait des valeurs héroïques donnant du sens à l'existence. Les temps modernes se sont ainsi focalisés sur des préoccupations matérielles, séculières, en écartant tout ce qui rappelait les mystères de l'existence.

Nous avons tenté de résoudre notre insécurité personnelle en cherchant à dominer les autres — de façon passive ou agressive. Nous avons ainsi capté l'énergie spirituelle d'autrui, ce qui nous a donné une sensation temporaire de complétude et d'assurance. Les mécanismes de domination traditionnels nous ont permis de manipuler nos semblables pour obtenir cette énergie. Souvenons-nous cependant que c'est parce que nous manquons d'énergie, et que nous sommes séparés de notre source d'énergie intérieure, que ces automatismes se mettent en place.

L'ouverture mystique intérieure permet de mettre fin à cette insécurité existentielle. Elle se traduit par une sensation de sécurité et d'euphorie qui nous permet de jauger efficacement notre état d'esprit. Plus nous nous ouvrons à l'énergie divine intérieure, plus nous comprenons que la vie est éternelle et spirituelle. Nous percevons que nous faisons personnellement partie du grand ordre de l'univers. Non seulement nous sommes éternels mais on se soucie de nous, nous sommes inclus dans le Grand Plan qu'est la vie sur terre, nous y apportons notre contribution. Si nous prêtons attention à la sensation de bien-être et de sécurité qui coule à l'intérieur de nous, nous sommes sécurisés, parce qu'une forte émotion, un grand sentiment d'amour, nous habite, écartant tout autre sentiment.

L'amour, bien sûr, est le critère le plus connu de la transcendance intérieure. Cependant, il s'agit d'un amour différent de l'amour humain qui nous est familier. Nous avons tous éprouvé cette sorte d'amour qui se concentre sur un sujet : parent, épouse, enfant ou ami. L'amour qui mesure l'ouverture transcendantale appartient à une autre catégorie. Il existe sans se focaliser sur un sujet particulier, et il devient une constante qui garde nos autres émotions en perspective et dont l'influence se fait sentir partout.

NOUS SOUVENIR DE NOS EXPÉRIENCES TRANSCENDANTALES

Ces critères identifiables des expériences transcendantales sont salutaires sur deux plans.

Premièrement, ils nous aident dans notre quête d'une expérience mystique véritable. Non pas avant de l'effectuer, car il nous faut mettre provisoirement de côté l'intellect pour entrer dans la dimension transcendantale ; mais après l'avoir vécue, car ils nous servent à évaluer si nous avons véritablement atteint ce niveau de la conscience.

Deuxièmement, ces critères nous aident à intégrer cette expérience transcendantale dans notre vie quotidienne. Les rencontres mystiques flottent au mieux quelques instants dans notre conscience et disparaissent aussi rapidement qu'elles commencent. Il nous faut ensuite participer à une pratique disciplinée, trouver une façon de prier régulièrement, de méditer, de mouvoir notre corps, afin de revenir à l'euphorie de l'état mystique et de construire sur cette base.

Chaque jour nous devons nous souvenir comment nous nous sommes sentis, en nous rappelant chacun des critères de la transcendance, et ensuite les saisir, les projeter, les insérer dans notre vie. Comme nous l'expliquerons plus loin, nous ne nous débarrasserons totalement de nos mécanismes de domination ou de ceux des autres que lorsque nous aurons suffisamment d'énergie et de sécurité intérieures — ce que seule l'expérience mystique peut nous donner. Et nous devons nous souvenir de l'illumination que nous avons ressentie.

Dès que vous sortez de votre lit le matin, rappelez-vous les critères de la transcendance pour vous rapprocher au maximum de la révélation originale. Rappelez-vous la légèreté et la coordination, la sensation de proximité et d'unicité, l'influx d'énergie et de sécurité intérieures. Souvenez-vous de l'amour divin que vous avez ressenti. À travers une pratique spirituelle telle que la méditation ou la prière, par exemple, faites appel au souvenir de ces sensations, jusqu'à ce que vous soyez rempli d'amour pour vous guider durant votre journée.

Si cet amour est là, alors vous savez que vous êtes ouvert à la source divine d'énergie qui nous habite toujours. Cela ne signifie pas, bien sûr, que nous n'éprouverons plus jamais d'émotions négatives comme la colère, la jalousie ou la haine. Mais, lorsque cela se produira, la constance de l'amour les empêchera de dominer notre esprit. Elles seront placées dans une perspective raisonnable : elles nous affecteront puis nous les laisserons s'en aller, en nous centrant de nouveau sur l'amour omniprésent qui donne de l'énergie à notre être.

Chacun doit décider seul si et quand ces critères deviendront une partie de sa vie quotidienne. Après une expérience transcendantale, nous devons acquérir la discipline suffisante pour les assimiler nous-mêmes. Quand nous sommes à proximité de personnes qui ont une telle conscience, leur présence peut stimuler notre mémoire, mais il n'existe pas de raccourci pour revenir puiser dans notre énergie intérieure, consciemment, afin d'augmenter l'influence de ces critères sur notre vie personnelle.

Quand nous prenons l'engagement ferme de maintenir l'ouverture d'énergie que nous avons expérimentée, nous nous préparons à franchir une nouvelle étape dans la conscience. Nous notons que les coïncidences augmentent, car nous savons maintenant que notre destin empruntera un chemin unique.

7

Découvrons qui nous sommes

Lorsque nous vivons une expérience transcendantale et nous ouvrons à un plus grand flux d'énergie et de sécurité intérieure, une transformation profonde s'amorce. Nous nous voyons nous-mêmes et nous observons notre comportement à partir d'une perspective supérieure, du point de vue de notre moi profond bien alimenté en énergie. Notre sentiment d'identité dépasse les réactions anxieuses de notre ego et assume le point de vue d'un témoin situé à un plan supérieur, qui s'assimile maintenant à toute la création divine et est capable d'examiner avec une nouvelle objectivité notre moi conditionné par notre milieu.

À cette étape de notre développement personnel, le premier progrès sensible se manifeste dans nos réactions au cours de moments de stress. Pour la première fois, nous percevons clairement notre mécanisme de domination. Peu importe l'endroit où cette prise de conscience se produit : au travail, au marché, ou alors que nous conversons avec une personne importante dans notre vie. D'abord, nous vivons pleinement notre nouvelle ouverture, mais ensuite quelque chose se produit. La situation devient stressante, et nous retombons dans notre vieux scénario.

Nous luttons pour maintenir l'énergie de notre moi profond, pour garder cette position de témoin, même si une partie de nous continue à avoir une attitude défensive. À ce stade nous pouvons avoir le sentiment d'une révélation sur nous-mêmes quand nous observons nos actions. Les vieux commentaires des autres sur nos automatismes et nos scénarios, commentaires que nous avons rejetés avec véhémence dans le passé, refont surface avec un nouveau sentiment de validité. Nous avons même parfois envie de dire : « Alors, c'est comme ça que j'agis quand je suis sous pression ! »

Tout devient clair, que ce soient les manœuvres de culpabilisation qu'opère une Victime, les distances que prend un Indifférent, les critiques que lance un Interrogateur, ou les attitudes menaçantes d'un Intimidateur. Nous distinguons maintenant nos propres manipulations pour obtenir l'énergie des autres.

LES LUTTES DE POUVOIR
DANS NOTRE FAMILLE

D'où vient notre comportement ? Que pouvons-nous faire à ce propos ?

De telles questions nous renvoient aux recherches novatrices menées sur la dynamique familiale dans les années 1960 et 1970. La famille, et spécialement notre père et notre mère, structure nos premiers contacts avec le monde. (Si nos parents biologiques ne nous éduquent pas, d'autres personnes jouent ce rôle.) Ils nous donnent une première idée de la société, tandis que nous prenons exemple sur leurs attitudes et leur comportement.

Comme le psychologue James Hillman le démontre dans *The Soul's Code*, nous nous incarnons tous avec un caractère et une mission[1]. Mais le brouillard de la naissance obscurcit cette compréhension de soi-même, et les conflits de l'enfance peuvent souvent être intenses et très effrayants. Durant nos premières années sur Terre, nous perdons notre solide connexion avec l'énergie et l'amour divins. Nous sommes soudain dépendants des autres pour notre nourriture, notre protection et notre sécurité personnelle.

Trop souvent, nous ne recevons pas assez d'amour et d'énergie parce que nos parents ont trop peu à donner et qu'ils agissent selon leurs propres mécanismes de domination. Certains parents dérobent inconsciemment l'énergie de leurs jeunes enfants, en les forçant à forger leurs propres techniques de manipulation pour se défendre. Par exemple, la Victime culpabilisera constamment son enfant parce qu'il ne l'aide pas assez, voire le rendra responsable de ses problèmes, en lui disant : « Si je ne m'occupais pas de toi, je pourrais me soucier de ma carrière. » L'Indifférent se montrera distant et insinuera que son amour est conditionnel. L'Interrogateur trouvera constamment des défauts chez son enfant. Et l'Intimidateur créera un climat de peur.

Durant notre enfance, nous accepterons ces scénarios, et permettrons que notre énergie soit drainée par nos parents. Mais à un certain âge, nos défenses se renforceront et nous élaborerons nos propres manœuvres pour stopper notre perte d'énergie et d'auto-estime. Face à la Victime et à l'Indifférent, nous utiliserons la position de l'Interrogateur, nous mettrons un terme aux tentatives de culpabilisation ou aux attitudes distantes en critiquant certaines de leurs caractéristiques ou de leur comportement. Face à un Interrogateur, nous nous mettrons à notre tour à lui poser des questions ou nous adopterons la froideur apparente de l'Indifférent.

Le cas de l'Intimidateur est plus complexe. Quand un enfant est maltraité et menacé, il riposte en général en utilisant le mécanisme de la Victime. Si l'Intimidateur réagit à la culpabilisation et commence à rendre de l'énergie, cela s'arrête là. Mais si la position de la Victime ne fonctionne pas, le seul recours, pour un enfant auquel on vole son énergie et dont la vie est menacée, est d'exploser et d'avoir lui-même recours à l'intimidation — tantôt contre ceux qui essaient de l'intimider, tantôt contre ses frères et sœurs ou d'autres personnes plus jeunes ou moins fortes[2].

LE PARDON NOUS LIBÈRE

Dynamisés par le niveau actuel de notre énergie spirituelle, un nouveau défi s'offre à nous si nous voulons poursuivre notre évolution. Lorsque nous examinons attentivement l'éducation que nous a donnée notre famille, quels que soient les traumatismes qu'elle nous a infligés, nous devons éviter de la blâmer ou de la haïr. Comme nous le verrons plus loin, notre conscience en pleine progression nous amène finalement à analyser tous les événements de notre vie à partir de la perspective d'une autre dimension, celle de l'Après-Vie. À ce niveau nous étions intimement connectés au divin, et nous avons choisi de nous incarner dans une famille donnée.

Nous voulions peut-être que le résultat final fût différent, mais nous désirions commencer notre vie exactement avec les parents qui nous ont conçus.

Si nous ressassons nos critiques contre notre père, notre mère, nos frères, nos sœurs, ou toute autre personne qui a joué un rôle durant notre enfance, c'est habituellement parce que les reproches font partie de notre mécanisme de domination. Nous racontons nos mauvais traitements durant notre enfance pour gagner la sympathie ou capter l'énergie des autres, ou nous les utilisons pour justifier nos stratégies d'Indifférent ou d'Interrogateur. Nous n'arriverons donc pas à obtenir une connexion intérieure avec l'énergie divine tant que nous ne nous serons pas libérés de notre passé. Il nous sera impossible de progresser et de continuer à accroître notre énergie parce que nos reproches nous ramènent toujours en arrière, dans notre vieux scénario.

Seul le pardon peut libérer complètement notre potentiel pour dépasser ces automatismes comportementaux qui nous font perdre du temps. Pour qu'il ait des effets totalement libérateurs il faut l'exprimer publiquement. Beaucoup de thérapeutes recommandent à leurs patients d'écrire une lettre à tous ceux auxquels ils ont fait des reproches et de leur offrir leur pardon. Inutile pour autant de rencontrer ces personnes ; une simple lettre peut mettre fin à un sentiment négatif et purifier l'air pour permettre à une nouvelle vie de commencer. Le pardon renforce la capacité que nous avons acquise de nous comporter comme un témoin dans une dimension supérieure. Pardonner, c'est reconnaître simplement que la personne à laquelle nous en voulons a agi de son mieux à l'époque des faits que nous lui reprochons[3].

ABANDONNER NOTRE MÉCANISME
DE DOMINATION

Il est temps de nous débarrasser de notre mécanisme de domination. Si nous procédons avec une certaine rigueur, que nous dépassons les vieilles attitudes à propos de notre passé qui nous enfermaient dans un certain nombre de réactions automatiques, nous pouvons commencer à assimiler complètement notre nouveau moi spirituel et abandonner notre autre moi, celui qui avait été conditionné par notre milieu familial.

À ce niveau de conscience, nous pouvons plus facilement maintenir une attitude de témoin qui observe son propre comportement et son chemin existentiel, qui analyse les événements grâce à sa foi objective et son amour de l'aventure. Telle est la position à partir de laquelle nous pouvons le mieux comprendre et suivre les messages des coïncidences, et le mieux demeurer vigilants, même dans les situations les plus stressantes.

Prenons un exemple : vous tentez de rester dans l'état de votre moi supérieur quand soudain quelqu'un fait quelque chose qui spontanément vous met sur la défensive. Si votre mécanisme de domination est celui de l'Interrogateur, la personne peut vous rappeler les Indifférents ou les Victimes que vous avez rencontrés dans le passé et vous amener à réagir de la même façon critique. Vous allez immédiatement chercher le défaut que vous avez remarqué chez cette personne et l'attaquer sur-le-champ, pour la déstabiliser et vous assurer que ses réactions de Victime ou d'Indifférent ne capteront pas votre énergie.

À ce moment, vous avez quitté la position de

votre moi supérieur et vous vous trouvez à nouveau dans un état d'insécurité, où vous avez besoin de l'énergie des autres. Pour limiter puis éliminer ces moments où vous vous placez inconsciemment sur la défensive, retenez-vous de plus en plus tôt. Renforcez votre intention par une pratique spirituelle régulière comme la méditation ou la prière. Lorsque vous avez réussi à maintenir fermement votre position de moi supérieur et observé la façon dont votre mécanisme de domination se déclenche, restez cependant vigilant, ne perdez pas de vue votre intention, de façon à repérer les premières manifestations de votre technique de manipulation.

Lorsque vous réussissez à vous contenir à chaque fois, vous commencez à rompre ce mécanisme, à l'arrêter avant qu'il ne s'enclenche, et à vous accrocher fermement à votre position de témoin, jouissant d'une perspective supérieure.

AVOIR L'INTUITION D'UN OBJECTIF SUPÉRIEUR

Lorsque nous réussissons à maintenir la plupart du temps notre position de moi supérieur, l'énergie accrue et le sentiment de liberté nous amènent immédiatement à nous poser des questions : si nous ne sommes plus la personne qui crée ce mécanisme répétitif pour se défendre, alors quel est l'objectif de notre vie ? Que devons-nous faire de notre existence ?

Ces interrogations découlent directement d'une caractéristique particulière de la connexion avec le moi supérieur : chacun d'entre nous sent intérieurement qu'il doit accomplir une mission dans la vie. Cette intuition crée un besoin de comprendre les potentialités de notre destinée à partir d'une perspective supérieure. Et cela inclut un besoin impératif de réinterpréter notre passé.

À quoi ressemblaient nos ancêtres ? Où ont-ils vécu et comment ont-ils passé leur vie ? Finalement notre intérêt se concentre de nouveau sur nos parents et notre famille durant nos premières années, et c'est alors que notre engagement de pardonner peut être vraiment productif, car nous sommes maintenant en mesure de dépasser nos vieux ressentiments pour considérer cette expérience avec un œil objectif.

La véritable question concernant notre petite enfance devrait être : Pourquoi ai-je choisi de naître dans cette famille et avec ce groupe de personnes ? Qu'avais-je en tête ?

LE MESSAGE FAMILIAL

Il nous faut trouver une compréhension plus profonde de notre expérience avec notre famille d'origine. Souvenez-vous : durant votre petite enfance vous avez découvert le monde et ce que l'on attendait de vous. Un enfant doit tout apprendre, non seulement le nom de chaque objet, mais aussi son sens. Pour cela nous devons examiner attentivement comment nos parents ou ceux qui nous ont éduqués ont interprété ce vaste monde. Nous passons donc la première décennie de notre vie à observer la réalité à travers les yeux de nos parents pour assimiler leurs descriptions, leurs réactions émotionnelles et leur créativité. Et cette identification façonne et structure notre vision du monde initiale.

Afin de trouver la raison spirituelle pour laquelle nous avons choisi nos parents, nous devons analyser très profondément leur personnalité, leur conception du monde et, peut-être encore plus important, leurs rêves, ceux qu'ils ont ou n'ont pas réalisés.

OBSERVER NOS MÈRES

Pour la plupart d'entre nous, le contact physique avec notre mère et son amour ont créé notre première description intérieure du monde extérieur. Nous répondait-il, nous nourrissait-il, se montrait-il bon ? Ou était-il négligent et menaçant ?

Selon les psychologues, les cinq premières années de notre vie nous apprennent si le monde répondra à nos attentes et si nos expériences seront positives. S'il apparaît que notre mère a satisfait nos besoins, alors notre conception de la vie sera, en principe, fondamentalement positive. Mais que faire si ce n'est pas le cas ? Et que faire si, bien que notre petite enfance ait été heureuse, nous devons lutter contre le pessimisme ou la peur qui surgissent en nous dans des moments angoissants ? Il nous faut alors nous demander si cette empreinte négative ne vient pas d'un moment encore antérieur — une naissance difficile, par exemple, voire une vie précédente.

Beaucoup d'entre vous ne sont pas convaincus de l'existence de la réincarnation. Si c'est votre cas, lisez l'œuvre de Brian Weiss, le psychiatre dont le travail thérapeutique et les recherches sur les souvenirs de vies antérieures chez ses patients ont fait connaître et expliquer ce phénomène dans le monde entier[4]. Dans de nombreux cas, lorsque nous réévaluons les conséquences de notre petite enfance sur nos attitudes et le cours qu'a pris notre vie, nous devons inclure la possibilité que certaines de nos idées proviennent d'une existence passée.

Votre mère, bien sûr, vous a apporté davantage que cette première empreinte nourricière. Elle vous a aussi transmis une interprétation particulière, et parfois unique, du monde. Pour comprendre le point de vue de votre mère, vous devez la voir aussi complètement que possible, prendre le temps d'observer ses parents, ainsi que le conditionnement culturel qu'elle a subi durant sa jeunesse, et la façon dont ce climat a limité ou épanoui la personne qu'elle a rêvé et désiré devenir.

Les mères de la plupart d'entre nous ont atteint l'âge adulte entre les années 1940 et 1980, époque à laquelle les possibilités des femmes se sont beaucoup développées. Le fait que les femmes aient travaillé dans les usines et l'industrie de guerre durant la Seconde Guerre mondiale, par exemple, et occupé des postes auparavant tenus seulement par des hommes, a partout changé l'attitude généralement adoptée sur les capacités des femmes. Cependant, à la même période, des femmes, dans certaines familles, n'ont pu réaliser leurs aspirations. Et c'est pourquoi vous devez examiner attentivement la vie de votre mère.

Quelles valeurs défendait-elle, sur la vie, la famille, le travail ? En quoi étaient-elles différentes des idées dominantes dans votre milieu ? Lorsque vous l'avez vue vieillir, quelle a été son attitude par rapport à la santé, à la maladie et la guérison, à la vie spirituelle ? Au niveau de son moi supérieur, que pensait-elle de la façon dont les êtres humains doivent vivre ? Et dans quelle mesure a-t-elle pu mettre en pratique sa vision du monde ?

Demandez-vous aussi ce que vous éprouviez, étant enfant, à propos des rêves de votre mère. Pensiez-vous intuitivement que ses valeurs et sa vision étaient justes ou erronées ? Quelle est votre opinion, maintenant que le pardon a épuré l'air et que vous avez dépassé votre rébellion d'adolescent ?

Et l'analyse intuitive que peut effectuer votre moi supérieur, aujourd'hui, sur l'ensemble de la vie de votre mère, peut jouer un rôle capital. Si vous aviez la possibilité de changer son passé, de corriger ses décisions, comment procéderiez-vous ? Enfin, le fait d'observer sa vie, à la fois durant votre enfance et depuis, a-t-il influencé la façon dont vous avez décidé de mener votre propre vie ?

OBSERVER NOS PÈRES

L'analyse de nos pères suivra la même méthode. Examinez attentivement la façon dont votre père concevait la vie, spécialement les relations qu'il entretenait avec les autres et son opinion sur les questions spirituelles. Quelle était pour lui la philosophie la plus efficace ? Que vous a enseigné son exemple ? Quel était son rêve personnel et dans quelle mesure a-t-il réussi ou échoué à le réaliser ?

Rappelez-vous qu'il a contribué à installer dans votre esprit, que cela vous plaise ou non, la moitié de votre conception de la réalité, y compris la façon dont vous agissez dans le monde, dont vous traitez avec vos associés ou vos collègues de travail, négociez ou honorez différents contrats et gagnez votre vie. Surtout, votre père vous a transmis des connaissances et des préjugés particuliers. Demandez-vous pourquoi vous vouliez avoir cette vision particulière de la vie au tout début de votre existence. Quels sont les problèmes auxquels vous désiriez être immédiatement sensibilisé?

Comme avec votre mère, analysez vos réactions intuitives devant votre père. Quelle partie de sa vie, de son monde, de ses rêves, de son mode de vie approuvez-vous? Quels éléments de son existence désapprouvez-vous? Considérez-vous que la vie de votre père est un échec ou une réussite? Et comment, à partir de votre conception actuelle, changeriez-vous ses décisions et le cours global de sa vie, si vous le pouviez?

FUSIONNER LES RÉALITÉS

Une fois que nous saisissons le sens de la vie de nos parents, nous nous apercevons souvent que leur personnalité et leur conception du monde, leurs valeurs et leurs intérêts étaient très différents. Pourquoi avons-nous été éduqués par deux personnes si opposées? Sans aucun doute, nous avons assisté à certains conflits entre nos parents et les avons vus tenter d'harmoniser des points de vue divergents. Étant leurs enfants, nous avons une possibilité unique de comprendre cet effort de conciliation. Nous avons grandi entre deux personnes uniques, et nous avons assimilé leurs deux façons d'être pendant notre processus de socialisation[5].

Quelle est notre tâche dans une telle situation? Trouver une synthèse entre les perspectives de nos parents, qui trace la voie d'une existence plus authentique. Mon père a toujours voulu vivre de grandes aventures, voir le monde de façon positive et avec humour. Son monde était un monde matérialiste, dépourvu de toute spiritualité vivante, et sa volonté de s'amuser l'a souvent amené à des décisions catastrophiques, qui se sont parfois retournées contre lui. Pendant que je grandissais à ses côtés, j'ai observé son modèle de comportement et j'ai été sensibilisé au besoin d'une approche plus stratégique vis-à-vis de l'aventure. Ma mère, d'un autre côté, savait que le monde était profondément spirituel, mais elle faisait preuve d'une piété et d'une abnégation excessives. Elle a rejeté toute idée d'aventure personnelle et s'est sacrifiée en travaillant dur pour aider les autres et guérir les maux de l'humanité.

Pourquoi ai-je choisi de naître avec ces deux parents? Ils avaient énormément de mal à maintenir l'harmonie entre eux. Ma mère voulait toujours mater mon père et l'enrôler au service de l'Église. Il se rebellait toujours, car il avait l'intuition que dans la vie on devait étendre ses horizons, même s'il ne savait pas très bien comment s'y prendre. Quand je pris du recul par rapport à leur situation et me mis à y réfléchir, la solution me sauta aux yeux. Je pouvais concilier la profonde spiritualité en laquelle croyait ma mère, et contribuer à rendre le monde meilleur, tout en en faisant un objectif amusant et une aventure. Ma mission me permettrait aussi de trouver ma source d'inspiration la plus profonde. Je compris que la compréhension de cette spiritualité élevée serait au centre de mon existence.

Cette synthèse entre les vies de mon père et de ma mère, qui me permettait de tirer le meilleur des conceptions de chacun d'eux, m'a aussi donné le sentiment que j'accomplissais en partie leurs objectifs existentiels et que je les aidais à évoluer dans le présent. Mais surtout je découvris que cette synthèse entre leurs idées cadrait exactement avec la façon dont, intuitivement, je voulais mener ma vie, comme si mon expérience avec eux avait simplement eu pour but de m'éveiller à cette vérité.

LE PROGRÈS DES GÉNÉRATIONS

La nouvelle conscience spirituelle émerge maintenant aussi parce que nous sommes de plus en plus nombreux à comprendre l'influence de notre famille durant notre enfance. Poussés par l'intuition, beaucoup d'entre nous ont consulté des thérapeutes dans les années 1970. Notre conscience s'élargit quand nous passons en revue les premières années de notre vie. Nous ne sommes pas nés dans notre famille par hasard. Nous l'avons choisie. Ses idées et ses approches incomplètes nous ont justement permis de trouver notre propre conception et de découvrir la direction que nous désirions donner à notre existence.

Dans ce sens, comme nous l'exposerons dans les derniers chapitres de ce livre, chaque génération, quels que soient ses liens plus ou moins étroits avec la vérité spirituelle, élargit la conception du monde de la génération précédente tout en la faisant évoluer. C'est ainsi que nous participons au flux continu de l'évolution que de si nombreux penseurs ont aujourd'hui repéré. Nous ne faisons que rendre ce processus plus conscient.

NOS AMIS, NOS ÉTUDES
ET NOS PREMIERS EMPLOIS

Bien sûr, notre enfance et notre vie familiale ne représentaient qu'un début. Très jeunes, nous avons commencé à tracer notre propre chemin. Rappelez-vous toutes les influences que vous avez subies, à commencer par celle de vos frères et sœurs. Quels étaient vos sentiments à leur égard ? Qu'avez-vous appris à leur contact ? Pourquoi certains individus ont-ils attiré votre attention et en avez-vous rejeté d'autres ? Pourquoi avez-vous choisi de fréquenter certaines personnes et d'en ignorer d'autres ? Et pourquoi ces choix se sont-ils produits précisément au moment où ils se sont produits ?

Pourquoi avez-vous préféré certains professeurs ? Chacun d'entre nous a eu dans sa jeunesse quelques mentors dont les idées ou les attitudes nous attiraient. Nous nous passionnions pour leurs conceptions et la matière qu'ils enseignaient, nous traînions à la sortie de l'école pour continuer à discuter avec eux et apprendre d'eux. Pourquoi ces professeurs en particulier, et à cette époque précisément ? Quels sont les talents personnels qu'ils vous ont aidé à découvrir ?

Les études que vous avez choisies sont aussi significatives. Quels étaient vos centres d'intérêt et que rêviez-vous de faire plus tard ? Quels étaient les cours et les sujets que vous aimiez ? Dans quel domaine avez-vous découvert que vous excelliez ?

Les premiers emplois que vous avez occupés ont joué également un rôle dans votre passé. Quel genre de petits boulots avez-vous faits quand vous étiez lycéen ou étudiant ou, plus tard, quand vous étiez un jeune adulte ? Comment ces emplois vous ont-ils influencé en clarifiant ce que vous vouliez faire ?

Le but de cet examen est de trouver le sens synchronistique et spirituel de l'évolution de votre vie. Chacun de nous réunit et, dans une certaine mesure, complète les promesses non accomplies de ses parents. Nous pouvons saisir encore mieux notre objectif si nous repérons le domaine de la vie et de la connaissance humaines vers lequel nous semblons avoir été attirés au fur et à mesure que progressait notre existence. Des amis et des professeurs nous ont offert des optiques et des styles de vie différents que nous allions pouvoir assimiler et intégrer dans notre moi unique.

À QUOI AVONS-NOUS ÉTÉ PRÉPARÉS ?

En examinant notre évolution personnelle, nous cherchons à comprendre le plus sincèrement possible notre enfance et l'histoire de notre vie depuis les premiers jours jusqu'au moment présent. Les éléments de votre puzzle personnel continueront à se mettre en place durant votre existence, mais maintenant vous pouvez regarder en arrière, examiner tout ce qui s'est produit et vous demander : Si je tiens compte de l'influence de mes parents pendant ma petite enfance, puis de tous les tournants et virages synchronistiques, des impasses, des erreurs et des succès de ma vie, qu'ai-je été préparé à dire au monde ? Quelle vérité particulière, unique pour moi et mon expérience, puis-je exprimer et transmettre aux autres sur la façon dont on peut vivre sa vie de façon plus complète et plus spirituelle ?

Tel est le sens qui peut émerger d'une Revue de

Vie. Nous pouvons avoir un aperçu des idées que nous devons défendre, des valeurs que nous voulons transmettre et qui expriment notre message pour les autres. La vérité que nous devons partager n'a pas besoin d'être compliquée ni très importante. Parfois les vérités essentielles sont les plus infimes et les plus simples. Avant tout, il nous faut trouver quelle est notre vérité actuelle et être prêt à l'exprimer avec courage, chaque fois que nous le jugeons adéquat. Ceux qui croisent notre route sont là pour entendre notre vérité. Même si, à vos yeux, elle est insignifiante, son impact peut être puissant et décisif selon la personne que vous voudrez influencer et la façon dont cela lui servira à clarifier les vérités des autres et leurs actions dans ce monde.

L'ÉVOLUTION DE NOTRE VÉRITÉ

Nos vérités évoluent toujours, non pas d'une façon sporadique ou indéfinie, mais de manière précise et claire, lorsque nous suivons la synchronicité dans notre vie. Mais que faire de notre vérité, comment la transmettre aux autres? Va-t-elle s'incarner dans une carrière professionnelle ou dans un violon d'Ingres?

Confrontez la réalité de votre vérité avec d'autres personnes et soyez attentif aux opinions de ceux qui ne sont pas d'accord avec vous. La meilleure description de la réalité surgira d'une conversation honnête. Une vérité sur une conception plus épanouissante de la vie peut être inefficace si elle est exprimée sous une forme trop compliquée ou présentée comme une philosophie pour laquelle les autres n'ont ni cadre ni référence. Votre vérité n'a pas besoin d'être de nature spirituelle. Certes, elle incitera d'une certaine façon les autres à se tourner vers la spiritualité. Mais elle peut s'appliquer au domaine particulier dans lequel vous travaillez déjà ou exercez une influence. Une vérité peut concerner la résolution des conflits, une autre proposer une nouvelle approche de l'informatique qui, à sa manière, libérera l'humanité.

Une chose est certaine : si nous demeurons vigilants, si nous restons centrés sur notre vérité et continuons à maintenir notre énergie à un niveau élevé, nous trouverons, à notre grand plaisir, que les coïncidences se multiplieront et deviendront de plus en plus significatives.

8

Comment évoluer consciemment

Il nous faut peut-être revenir maintenant sur la nature de la nouvelle conscience spirituelle. Nous avons commencé par souligner l'importance des coïncidences et spécialement la façon dont elles semblaient toujours nous pousser vers un destin particulier.

Lors d'une deuxième étape, nous avons vu comment les êtres humains ont dû vaincre l'inertie de l'ancienne conception du monde et comprendre les raisons psychologiques pour lesquelles ils ont nié les mystères de l'existence pendant si longtemps. Nous étions capables d'apprécier les réalisations matérielles de l'humanité, mais nous avons dû reconnaître que le monde avait une signification plus vaste et qu'il était temps de progresser. L'épanouissement de notre perception spirituelle a représenté une prise de conscience d'une grande importance historique.

Nous sommes passés à la troisième étape quand nous avons compris que, chaque jour, nous vivions dans un univers mystérieux, mû par l'énergie, et qui réagit à nos intentions et à nos pensées.

Cela a préparé le terrain pour la quatrième étape, celle où nous avons dû apprendre à négocier avec ce monde spirituel, particulièrement avec la réalité de l'insécurité humaine et la compétition pour l'énergie. Chacun d'entre nous doit résoudre individuellement ce problème d'insécurité, en découvrant pour soi-même l'expérience transcendantale décrite par les mystiques de toutes les époques, pour parvenir à la cinquième étape. Cette expérience nous donne un aperçu d'une conscience supérieure et ouvre une connexion interne dont nous pouvons nous souvenir et à laquelle nous pouvons revenir, tandis que nous nous efforçons de conserver notre énergie à un niveau élevé et de renforcer notre sentiment de sécurité intérieure.

Une fois que nous nous ouvrons à la source d'énergie divine, nous pouvons pénétrer dans la sixième étape et expérimenter la catharsis spirituelle, qui consiste à abandonner notre mécanisme de domination et à découvrir qui nous sommes vraiment, afin de comprendre finalement quelle est la vérité qu'il nous incombe d'exprimer. À ce stade, notre conscience intérieure élargie nous permet d'être de plus en plus attentifs à la synchronicité et de nous engager plus activement dans notre destin.

ÉLARGIR NOTRE PERCEPTION

Nous sommes maintenant prêts pour la septième étape. Il s'agit d'apprendre à exploiter les coïncidences avec une plus grande habileté.

Reprenons l'expérience synchronistique citée précédemment. Vous assistez à une conférence sur un sujet qui vous intéresse. Pendant que vous êtes assis et écoutez l'orateur, vous pensez : « Cette personne a une façon fascinante d'analyser ce problème. J'ai besoin de mieux comprendre son optique particulière. » Ensuite vous sortez pour dîner au restaurant ce soir-là et vous vous trouvez assis à la table voisine de celle de l'orateur qui, lui, est en train de manger tout seul.

Évidemment, vous êtes devant une coïncidence significative. Mais en fait cette synchronicité a commencé bien avant ce soir-là. Pourquoi, par exemple, avez-vous décidé d'assister à cette conférence au départ ? Comment en avez-vous entendu parler ? Peut-être avez-vous vu une annonce pendant que vous feuilletiez votre journal. Mais qu'est-ce qui vous a vraiment poussé à y assister ? Quelle coïncidence particulière s'est produite ?

DÉCOUVRIR NOTRE QUESTION EXISTENTIELLE

Même après l'avoir perçue, notre compréhension de la vérité pour laquelle nous nous sommes incarnés évolue sans cesse vers une forme de plus en plus claire. Vous avez peut-être découvert, par exemple, que votre amour et votre respect pour les plantes dans le passé vous ont préparé à votre mission : protéger leur existence. Après cette révélation, cependant, vous voudrez obtenir davantage de détails. Devez-vous continuer vos études ? Quitter votre travail actuel et chercher un emploi en rapport avec les plantes ?

Lorsque vous prêtez attention à votre conscience élargie, la question la plus importante pour votre situation existentielle se fera connaître. Tantôt vous découvrirez cette question spontanément, tantôt la nature des coïncidences qui vous entourent vous aidera à définir la question. Supposons, par exemple, que la conférence à laquelle vous avez assisté porte sur les efforts pour sauver les rares forêts vierges, très anciennes, qui existent aux États-Unis, et que l'orateur ait mentionné les organisations à but non lucratif les plus efficaces et les possibilités d'emploi dans ce secteur.

Si un tel événement en lui-même n'est pas concluant, une série de coïncidences concernant des questions d'emploi peuvent signifier qu'il s'agit du problème le plus urgent à résoudre. Dans notre exemple hypothétique, le fait que l'orateur soit assis juste à vos côtés au restaurant serait une manifestation de synchronicité et une confirmation.

Chaque fois que nous interprétons des coïncidences dans notre vie, nous devons commencer par discerner d'abord notre principale question existentielle. Elle nous indiquera la direction vers laquelle évolue notre vérité et aiguisera notre perception de la synchronicité.

L'INTUITION

Que se passe-t-il lorsque nous discernons une question existentielle? Comment vous êtes-vous rendu compte que vous deviez assister à cette conférence particulière? Je crois qu'après mûre réflexion, nous découvrons notre intuition et commençons à utiliser pleinement cette capacité aussi vieille que l'humanité.

À travers l'Histoire, les hommes ont toujours évoqué leurs intuitions, leurs instincts, et ces mêmes perceptions nous ont conduits à diverses reprises à prendre des décisions dans la vie. Seule la conception mécaniste du monde rejetait de telles expériences comme des illusions, des hallucinations ou des jugements hâtifs[1]. Même face à une telle désapprobation culturelle, la plupart d'entre nous ont continué à avoir recours semi-consciemment à de telles perceptions; nous n'en discutons pas beaucoup autour de nous. Ce n'est qu'au cours des dernières décennies que l'on a eu de nouveau recours ouvertement au pouvoir de l'intuition et que l'on en a débattu largement en Occident.

Nous devons maintenant rendre ces sensations subtiles plus conscientes et apprendre à les distinguer de nos pensées ordinaires. Puisque cette capacité est une question de perception interne, chacun doit trouver la solution lui-même. Mais la façon dont opère généralement notre intuition fait déjà l'objet d'un consensus assez large.

Une intuition est une image d'un événement à venir, une prémonition, dont la science a démontré l'existence[2]. Cela peut nous concerner, nous ou d'autres personnes. Presque toujours cette image est de nature positive et contribue à notre croissance personnelle. Si, d'un autre côté, ces pensées sont négatives — si elles annoncent un accident possible ou un lieu que nous devrions éviter, par exemple —, alors nous devons décider si nous avons seulement peur des pensées qui proviennent de la répétition d'un mécanisme de contrôle ou si cette image négative nous lance un véritable avertissement intuitif.

Vous apprendrez tout seul à faire la distinction entre les deux, mais vous vous apercevrez que, habituellement, les sensations de peur ont un rapport avec des peurs générales et non avec des événements spécifiques. Dans notre exemple, vous savez peut-être que vous avez toujours craint de vous rendre à des conférences tout seul. Ce genre d'appréhension, si elle se manifeste régulièrement, peut habituellement être identifiée comme une angoisse plus générale. Mais si vous craignez spontanément d'assister à une conférence particulière, alors que vous n'avez jamais éprouvé une telle peur auparavant, une telle perception représente sans doute un véritable avertissement intuitif, et vous devriez en tenir compte.

Vous devez aussi distinguer une intuition d'un rêve éveillé dysfonctionnel. Si vous revivez en imagination une rencontre passée, et regrettez de ne pas avoir lancé une cinglante réplique à une personne qui vous avait mis en colère ou vous offensait, vous ne faites qu'imaginer un scénario de domination dans votre tête. Ce genre d'image n'est utile que si vous en tirez la leçon que vous devez abandonner de telles compétitions[3].

La plupart des intuitions réelles concernent une action future qui ferait prendre une nouvelle direction avantageuse à votre vie, et elles ont toujours une certaine charge d'inspiration.

LE PROCESSUS DE LA SYNCHRONICITÉ

Nous disposons maintenant d'un tableau plus vaste de la synchronicité. Elle attire d'abord notre attention sur notre question existentielle, consciente ou non, puis nous permet de progresser. Dans notre exemple, vous avez découvert que votre préoccupation actuelle était : allez-vous chercher un emploi différent, ayant un rapport plus étroit avec les plantes ?

À ce stade votre intuition entre en jeu. Si vous faites attention à vos pensées, vous recevrez une intuition sur ce que vous devez faire ou l'endroit où vous devez aller. Ce sera peut-être vague et confus, mais ce sera une authentique prémonition d'un événement potentiel à venir. Dans notre exemple, vous pourriez recevoir une image de vous assistant à une conférence. Ou peut-être une image plus générale impliquant que vous recevez des informations sur une entreprise travaillant avec les plantes ou une possibilité d'emploi dans ce secteur.

Après cela, quand vous ouvrez le journal et que vous y trouvez une annonce sur une conférence à propos des plantes, un déclic se produit dans votre tête. Vous comprendrez immédiatement qu'il s'agit d'un moment synchronistique, riche en inspiration. Lorsque vous arriverez à la conférence et entendrez le discours, votre intuition sera confirmée. Et le fait de trouver le conférencier assis à côté de votre table au restaurant ce soir-là rendra l'événement à peine croyable.

En résumé, la plupart des coïncidences se produisent de la façon suivante : nous commençons par pressentir l'existence d'une vérité que nous sommes venus exprimer sur Terre, une vérité qui devient de plus en plus claire et se manifeste d'abord sous la forme de notre question existentielle fondamentale, puis à travers le problème le plus urgent dans notre situation actuelle. Ensuite vient une intuition, une image mentale de quelque chose qui est en train de se passer, de nous-mêmes en train d'entamer une action pour trouver la réponse à cette question. Si nous restons attentifs, une véritable possibilité touchant notre intuition se manifestera, apportant des réponses et semblant parfaitement synchronistique.

Ces réponses, bien sûr, si elles résolvent notre première question, nous amèneront toujours à progresser vers une nouvelle situation et davantage de questions. Et ainsi le processus continuera : question — intuition — réponse synchronistique — nouvelle question, etc.

LES RÊVES

Comme nous l'avons vu auparavant, les rêves peuvent jouer un rôle important dans ce processus, parce qu'ils représentent une forme obscurcie d'intuition. Alors que, dans la plupart des cas, les images d'un rêve comprennent d'étranges personnages et des intrigues invraisemblables, les éléments du songe éclairent presque toujours notre situation présente. Dans le chapitre 2, nous avons examiné comment analyser le scénario d'un rêve et ensuite superposer cette intrigue à l'histoire plus vaste que représente notre vie. Nous trouverons toujours un lien entre les deux, soit maintenant, soit dans l'avenir[4].

Si notre rêve concerne une bagarre, par exemple, demandez-vous si vous rencontrez un obstacle important dans votre vie. Si c'est le cas, ce type de rêve annonce parfois une évolution plus favorable, qui ne vous est pas encore venue à l'esprit. Cette nouvelle ligne d'action, une fois que vous l'aurez suivie, suscitera peut-être des coïncidences qui changeront votre vie, comme le fait l'intuition.

Pour interpréter les rêves de cette façon, conservez toujours à l'esprit votre vérité fondamentale et la question qui vous intéresse en ce moment. Gardez en tête ces préoccupations : cela vous donne des informations supplémentaires et vous aide à trouver le sens de vos rêves. Demandez-vous : Quel est le rapport entre le scénario de ce rêve et les problèmes qui se posent dans ma vie actuelle ?

LA LUMINOSITÉ

Notre intuition peut également progresser grâce à la luminosité : un lieu ou un objet se détache, attire notre attention. Il semble avoir plus de présence que tout ce qui l'entoure[5].

Dans le cas d'un paysage, les couleurs des arbres, des rochers et de la terre paraissent plus éclatantes. Cette expérience nous rappelle les moments transcendantaux durant lesquels tout, autour de nous, devient soudain vivant, présent, aussi connecté à nous qu'à notre propre corps, et produit un sentiment d'unicité, d'harmonie — sauf que, dans le cas de la luminosité, le phénomène se limite à une zone spécifique, comme pour nous montrer une connexion spéciale avec l'objet ou le décor en question.

Très souvent une telle manifestation de luminosité se produit quand nous sommes sur le point de choisir la direction à prendre durant un voyage. Cela, bien sûr, remet en cause le vieux paradigme matérialiste — parce que nous avons l'habitude de décider de choisir tel ou tel chemin en fonction de considérations logiques, comme la largeur, la longueur ou l'état de la route, la carte dont nous disposons, etc. Et ces méthodes nous ont certainement aidés dans le passé à nous rendre aux endroits que nous voulions atteindre.

Mais plus nous progressons, plus nous dépassons cette façon logique de mener notre vie et apprenons à utiliser notre intuition pour prendre des décisions, plus nous pouvons être efficaces sur le long terme. L'intuition nous pousse parfois à choisir une route plus longue ou plus difficile, mais ce voyage peut nous apporter des informations qui élargiront nos perspectives et que nous aurions découvertes beaucoup plus lentement si nous avions mené notre voyage en faisant uniquement appel à la vieille méthode.

Souvent nous savons seulement qu'une certaine route semble vaguement plus attirante. Pour vérifier le bien-fondé de ce type de sentiment, regardez les autres routes et comparez leur luminosité avec celle de la route qui semble vous appeler. Ressentez-vous la même chose ? La lumière semble-t-elle différente ? Chacun doit vérifier soi-même de telles perceptions, mais si la route vous semble plus attirante, prenez-la.

La luminosité peut aussi vous aider à choisir votre chemin lorsque vous explorez un site sacré et cherchez une zone irradiant de l'énergie. Les sites sacrés, comme nous l'avons déjà expliqué, facilitent souvent les expériences mystiques ou transcendantales durant lesquelles nous ouvrons des canaux d'énergie divine à l'intérieur de ces lieux. Parfois notre intuition nous permet de découvrir les meilleurs sites. Parfois il nous suffit de nous fier à une rumeur ou à un vague commentaire. La luminosité nous aide à dénicher de tels lieux.

Cela s'applique particulièrement aux régions sauvages, qui couvrent de grandes superficies. Dans de tels paysages, si nous regardons autour de nous, si nous sommes sensibles à ce qui nous saute aux yeux, nous remarquerons un sommet de montagne au loin, un groupe de grands arbres, ou une zone avec une eau particulièrement brillante et pour laquelle nous éprouvons une attirance profonde. Une fois arrivés là nous pouvons utiliser le même procédé pour trouver un endroit encore plus particulier qui semble se détacher et a l'air attirant et confortable. C'est le lieu adéquat pour méditer.

CHOISIR NOTRE PLACE
DANS UN LIEU PUBLIC

L'intuition et la luminosité nous aident aussi à choisir un siège dans un restaurant ou dans une réunion, par exemple, particulièrement dans les cas où nous interagissons avec d'autres gens. Quand nous entrons dans un tel lieu, si nous sommes très attentifs, une place ou une autre se détachera et deviendra lumineuse. Nous devrons parfois négocier avec la serveuse qui voudra nous conduire à l'endroit de son choix. Prenez la peine de discuter un peu, car être assis au bon endroit vous donnera un sentiment de confort et d'excitation.

Au pire, le fait de choisir votre siège de cette manière vous permettra de manger dans de bonnes conditions, étant donné la configuration de l'énergie dans la pièce et la façon dont les clients sont disposés. Au mieux, cela vous procurera une importante rencontre synchronistique. Très souvent, un tel processus m'a permis d'engager une conversation synchronistique. Quand j'écrivais ce chapitre, j'ai eu exactement l'expérience de ce genre de coïncidence dans un restaurant local.

Au début de la journée, j'avais rencontré un homme qui faisait du jogging près de chez moi. Nous avons bavardé un peu et il a évoqué un ioniseur d'air et un filtre à air expérimental dont il avait entendu parler. J'étais pressé, aussi ne lui ai-je pas demandé de détails, mais par la suite j'ai regretté de ne pas lui avoir soutiré davantage d'informations, parce que je me suis rendu compte que le modèle d'ioniseur qu'il m'avait décrit aurait pu m'aider pour mon travail. Puisque je n'avais pas de moyen de le contacter, j'ai cessé de penser à cette affaire et j'ai pris ma voiture pour aller prendre mon petit déjeuner en ville. Je suis entré à l'Irene's Cafee, j'ai regardé autour de moi et j'ai immédiatement été attiré par une table, près d'une fenêtre à ma droite. La serveuse voulait que je m'assoie ailleurs, mais la lumière brillait littéralement autour de cette table précise.

Un groupe d'hommes étaient en train de parler à la table à côté de la mienne, mais je ne les ai pas bien observés ; toute mon attention était centrée sur ma table. Avec un sourire, la serveuse me permit de m'asseoir, je m'installai et pris le menu, toujours sans prêter grande attention à mes voisins. Soudain, j'entendis une voix que je crus reconnaître et je jetai un coup d'œil à ma droite. Mon jogger se trouvait là en train de prendre son petit déjeuner avec quelques amis.

Inutile de vous dire que nous avons poursuivi notre conversation en profondeur, et qu'elle s'est révélée fort instructive.

LES LIVRES, LES MAGAZINES ET LES MÉDIAS

La luminosité attire aussi notre attention sur des informations utiles offertes par des livres, des magazines ou des émissions de télévision. Beaucoup d'anecdotes circulent, par exemple, sur la façon dont les livres apparaissent mystérieusement dans la vie de certaines personnes. Shirley MacLaine a raconté une expérience classique de ce genre dans *Out on a Limb*. Elle se trouvait dans une librairie de Los Angeles quand un ouvrage qu'elle cherchait et qui se trouvait placé en haut d'une bibliothèque lui tomba littéralement sur les genoux[6].

On raconte aussi souvent comment un livre devient soudain lumineux et attirant. En fait, quiconque élargit sa conscience spirituelle fera de temps à autre ce genre d'expérience. Vous entrez, par exemple, dans une librairie seulement pour feuilleter quelques livres et aussitôt un ouvrage attirera votre attention, même s'il est à l'autre bout de la boutique. Sa couverture semble plus claire, plus distincte. Parfois nous réussissons à lire le titre et le nom de l'auteur, alors qu'une telle perception est en principe impossible à une telle distance[7].

Cette expérience, bien sûr, ne se limite pas aux livres. Des magazines et certains programmes de télévision apparaissent aussi nimbés de lumière. Si vous faites attention quand vous observez un stand de magazines, très souvent vous remarquerez que certains d'entre eux se détachent du lot. Si vous les examinez de plus près, vous découvrirez qu'un article ou un éditorial contient des informations synchronistiques.

Nous pouvons regarder la télévision exactement de la même façon. Avec l'explosion du câble et du satellite, il vous arrive souvent de zapper, en ne sachant pas quel programme choisir. Si vous gardez à l'esprit ce phénomène de la luminosité, quelque chose attirera presque toujours votre œil, puis vous intéressera.

OBSERVEZ OÙ SE DIRIGENT VOS YEUX

Parfois vous remarquez que votre regard se dirige spontanément vers une personne, un endroit, un objet particuliers. Vous entendrez souvent des gens évoquer ce type de phénomènes quand ils parlent de spiritualité. Des amis vous raconteront comment leur regard est spontanément tombé sur un chemin dans une forêt, un magazine ou un livre particuliers. Il s'agit ici d'un phénomène un peu différent de celui de la luminosité. Dans ce cas, nos yeux et notre esprit semblent spontanément se concentrer sur un point, tandis que nous pensons à quelque chose d'autre.

Il vous est certainement arrivé de vous retourner et de vous apercevoir que quelqu'un vous regardait. Dans tous les cas cités ci-dessus, demandez-vous : Pourquoi ai-je levé les yeux juste à ce moment-là ? Pourquoi ai-je regardé cet immeuble ou ce parc ?

Ces messages en provenance de notre corps semblent de prime abord difficiles à interpréter, mais parfois une intuition nous suggère d'en approfondir les causes. Souvent, quelques minutes d'une action attentive nous conduiront à une nouvelle aventure ou à une rencontre synchronistique.

POURQUOI IL FAUT RESTER POSITIF

Plus nos expériences synchronistiques se multiplient, plus nous devons avoir un esprit positif. Lorsque nous nous sommes ouverts à l'énergie divine intérieure, que nous avons trouvé une vérité qui nous inspire, et que nous gardons nos questions existentielles à l'esprit, le flux de la synchronicité s'accélère et devient plus facile à interpréter. Mais à tout moment nous pouvons tomber dans une interprétation négative et perdre notre énergie.

Comme je l'ai mentionné auparavant, souvent, lorsque j'écrivais *La Prophétie des Andes* je me suis trouvé dans une impasse. J'avais été emporté par un flux de coïncidences riche de sens et tout à coup un événement me suggérait que je m'étais complètement trompé depuis le début. À de tels moments, j'étais tenté d'abandonner complètement la rédaction de mon livre. Je ne comprenais pas pourquoi ce à quoi j'étais prédestiné s'écroulait tout à coup.

Ces impasses continuèrent à se produire jusqu'à ce que je découvre que je sautais à une conclusion négative uniquement parce que je refusais que le moindre obstacle ralentisse mon projet. Chacun de nous doit se rendre compte, tout seul, qu'au plan de la conscience supérieure il n'existe pas d'événements négatifs. Certes, la vie peut être tragique et les hommes commettent souvent de mauvaises actions, parfois même horribles. Mais au niveau de la croissance personnelle et de la quête du sens, comme Victor Frankl l'a expliqué dans *Man's Search for Meaning*[8], un livre qui est devenu un classique, la négativité ne représente qu'une épreuve, et dans la pire des situations il existe toujours une possibilité d'apprendre et de croître. Chaque crise, chaque impasse au cours de notre évolution est seulement un message, une occasion d'aller dans une direction différente. Parfois nos ego commencent par ne pas aimer cette direction, mais notre moi supérieur peut découvrir un nouveau plan implicite dans ce défi.

Prenez garde : ne vous polarisez pas trop sur la quête d'un sens positif aux événements négatifs. Souvent j'ai vu des individus commencer un chemin synchronistique, effectuer avec succès leur voyage vers la prise de conscience de soi et la croissance personnelle, mais être bloqués par une impasse qu'ils interprétaient de façon négative, ce qui les amenait à abandonner tout le processus.

Ce phénomène se produit quand nous présumons

que nous pouvons atteindre très rapidement nos objectifs les plus importants. Si nous ne respectons pas le calendrier fixé, soit nous nous en attribuons la faute, soit nous la rejetons sur d'autres, car nous pensons que tout le processus est inefficace. En vérité une impasse indique habituellement que nous manquons encore d'énergie ou que nous n'avons pas bien éclairci notre mécanisme de contrôle. La synchronicité dans notre vie sert à nous aider à revenir sur les problèmes que nous n'avons pas clarifiés personnellement et au besoin à découvrir une attitude faite d'amour et de sécurité intérieure. Ce n'est qu'en récupérant cet espace transcendantal que nous pouvons nous libérer des besoins de notre ego et procéder à une lecture objective des coïncidences.

UNE STRATÉGIE POUR NOTRE ÉVOLUTION

N'oublions pas que la nouvelle conscience spirituelle provient d'un équilibre entre notre moi intuitif et notre moi rationnel. Nous ne renonçons pas à nos pouvoirs de discernement rationnel que nous avons si durement acquis; nous voulons plutôt qu'ils coexistent harmonieusement avec notre moi supérieur. De cette façon, nous pénétrons dans un univers qui nous offre un courant constant de petits miracles qui nous indiqueront le chemin.

Nous devons absolument rester ouverts au flux synchronistique sans sauter hâtivement aux conclusions. Chaque événement mystérieux dans notre vie comporte un message. Si nous conservons notre énergie à un niveau élevé et nous souvenons de la vérité pour laquelle nous sommes venus sur Terre, le processus de la synchronicité se poursuivra —

peut-être pas aussi rapidement que nous le souhaiterions, mais il continuera. À partir de nos questions actuelles surgiront des images intuitives de ce que nous pouvons faire, et quand nous commencerons à agir dans ce sens, à explorer les possibilités, notre flux ne fera que progresser.

Notre complet engagement dans le processus synchronistique nous conduit immédiatement à l'étape suivante où nous vivrons effectivement la conscience spirituelle. Nous découvrirons que la synchronicité provient surtout des vérités qu'expriment d'autres êtres humains. Quand nous apprendrons à interagir en gardant cette idée en tête, nous pourrons amener tout le processus de l'élévation spirituelle à un niveau supérieur.

9

Vivre la nouvelle éthique interpersonnelle

Comme Marshall McLuhan l'a montré dans son livre phare *The Medium is the Message*[1], l'explosion des médias a contribué, entre autres, à réduire les dimensions psychologiques de la planète. Avec la télévision, la radio et les ordinateurs, le monde semble maintenant plus limité qu'il ne l'a jamais été dans l'histoire humaine. Il suffit d'effleurer quelques touches pour assister en direct à des événements qui sont en train de se produire à l'autre bout de la planète.

Au niveau local, cette communication planétaire a pour effet de rendre beaucoup plus précise notre interprétation des mots et des expressions, même d'une langue à l'autre. Au fur et à mesure que notre monde se rétrécit, nous devenons plus homogènes, et nous approfondissons notre compréhension les uns des autres.

Il y a un peu plus d'une vie humaine — à peine cent vingt ans —, les duels étaient autorisés dans certaines régions des États-Unis. Un mot malheureux, l'emploi d'une expression parfaitement acceptée dans un autre État suffisaient à générer un sentiment d'affront et à justifier un crime.

Les erreurs de ce genre deviennent de plus en

plus rares parce que les cultures locales et les zones voisines ont de meilleures relations qu'autrefois et se comprennent mieux. Certains esprits critiques déplorent que la télévision rabote nos différences régionales — et la diminution de cette diversité est certes un problème — mais les médias modernes ont aussi servi à nous montrer tels que nous sommes, et contribué ainsi à nous rapprocher les uns des autres. En homogénéisant le sens des mots utilisés à l'intérieur de chaque pays et même, jusqu'à un certain degré, à l'échelle de la planète, nous réussissons à pénétrer dans l'esprit d'autrui mieux que jamais. Plus notre capacité de dialogue s'approfondit, plus la fréquence des coïncidences s'accroît.

LA SPIRITUALITÉ IMPRÈGNE
NOS CONVERSATIONS QUOTIDIENNES

La plupart des messages synchronistiques nous viennent des autres. Comme le dit un vieux proverbe populaire : « Le professeur apparaît lorsque l'élève est prêt. » En d'autres termes, si nous sommes ouverts et vigilants, quelqu'un apparaîtra dans notre vie pour nous communiquer une vérité dont nous avons besoin à ce moment précis. Nous ne pouvons percevoir ces informations que si nous veillons à analyser nos rencontres, en prenant naturellement des précautions élémentaires.

Deux chemins peuvent se croiser de façon synchronistique à tout moment, mais cela n'aura en général pas lieu avant que nous ayons nous-mêmes envie de prendre l'initiative. Revenons à l'exemple du chapitre précédent : vous avez l'intuition d'aller à une conférence sur les plantes et recevez des informations sur les possibilités d'emploi dans ce domaine. Après la conférence, coïncidence typique, vous vous trouvez assis dans un restaurant, non loin de l'orateur.

Combien de fois une telle rencontre se produit-elle sans qu'aucune des parties ne sache mettre l'occasion à profit ? Trop souvent. À mon avis, le fait que notre compréhension mutuelle soit en train d'augmenter contribue cependant à modifier cette situation. Plus nous comprenons l'objectif supérieur de l'évolution, plus nous prenons soin de partager notre vérité personnelle avec autrui.

Vous êtes donc au restaurant, près du conférencier. Face à une telle coïncidence, maintenant vous devez logiquement prendre l'initiative de parler de ce qui est en train de se produire — honnêtement et ouvertement, mais pas d'une manière agressive. Dites, par exemple : « J'ai entendu votre conférence aujourd'hui. Je l'ai trouvée passionnante, parce que j'envisage de trouver un emploi pour aider à sauver les espèces végétales menacées. »

Le conférencier vous donnera peut-être une nouvelle piste, du genre : « Je me tiens au courant des possibilités de plus en plus intéressantes dans ce secteur grâce à *Botanical Update*. Connaissez-vous cette revue ? » Une telle conversation vous amènera à vous procurer un exemplaire de cette publication, qui contiendra sans doute encore davantage d'informations.

L'IMPORTANCE D'ÉLEVER SPIRITUELLEMENT LES AUTRES

Mais que se passe-t-il si, après avoir rencontré quelqu'un de façon synchronistique, aucun message ne se dégage clairement — ou que, plus vraisemblablement, ces messages sont bloqués par la peur ou par un mécanisme de domination ? D'abord, nous pouvons entrer en nous-mêmes pour essayer d'accroître notre niveau d'énergie, et nous concentrer sur l'amour, la légèreté et la connexion avec l'environnement.

De ce niveau d'énergie supérieur, nous pouvons considérer d'un œil neuf la personne avec laquelle nous discutons. Comme nous l'avons expliqué dans un chapitre précédent, lorsque nous sommes en présence d'une technique de manipulation, nous devons d'abord envoyer de l'énergie et de l'amour à notre interlocuteur en nous concentrant entièrement sur lui. Nous envoyons ainsi de l'énergie spirituelle à son moi supérieur ; cela lui permet de se détacher un peu des conceptions rigides inspirées par son mécanisme de domination.

Les traditions mystiques ont beaucoup à nous apprendre en ce domaine[2]. Le visage de quelqu'un, avec ses traits, ses contours et ses ombres, ressemble à ces taches d'encre que l'on utilise dans les tests psychologiques. Nous percevons de nombreuses expressions sur le visage d'un interlocuteur, et elles reflètent notre propre attitude par rapport à lui. Si notre mécanisme de domination nous prépare à ne rencontrer que des personnes intimidatrices, effacées ou indifférentes, nous aurons affaire à des individus présentant cette apparence. En fait, la personne à laquelle nous nous adresserons commencera par se sentir de cette humeur, elle parlera peut-être même de façon menaçante, timide ou indifférente, et dira plus tard qu'elle a eu l'impression d'être obligée d'endosser un rôle durant cette conversation.

Souvenez-vous : l'univers réagit à nos intentions. Nos pensées et nos croyances rayonnent autour de nous comme des prières adressées à l'univers, et celui-ci essaie de nous envoyer ce que nous semblons lui demander. Nous devons conserver notre énergie à un niveau élevé et utiliser le pouvoir de nos intentions de façon positive.

Mais comment y parvenir ? Comment diriger cette nouvelle attention vers un autre être humain ? Quand vous observez quelqu'un, vers quoi dirigez-vous votre regard ?

Concentrez-vous sur la totalité du visage en adoptant une attitude d'ouverture. Si vous êtes attentif, lorsque l'autre parle, vous verrez son moi supérieur, l'expression particulière qui reflète sa conscience et son savoir spirituels. Cette idée se retrouve dans plusieurs traditions religieuses qui affirment qu'on peut apercevoir la lumière divine, le Christ, ou le génie, se refléter sur un visage. Quoi qu'il en soit, si vous vous adressez au moi supérieur, au génie de l'autre, en projetant de l'amour, il prendra progressivement conscience de son moi profond à votre contact, et le percevra peut-être pour la première fois.

Abordons maintenant la façon d'élever consciemment autrui. Un nombre croissant d'entre nous pratiquent cette méthode. Nous savons depuis des milliers d'années qu'il est important de s'aimer les uns les autres parce qu'il peut en résulter de grandes transformations. Nous apprenons désormais comment transmettre cet amour grâce à la spiritualité.

Aimer autrui n'est pas une simple question de gentillesse. Il existe une méthode psychologique précise pour aimer les autres, méthode qu'il faut appliquer avec un objectif et des intentions spéciaux. Cette éthique est pourtant totalement égoïste : en effet, sa pratique nous procurera, à travers ces rencontres, davantage que ce que nous y apporterons. Quand nous nous efforçons d'élever spirituellement les autres, nous les aidons à prendre conscience de leur moi supérieur, de leur raison d'être. À cette occasion, ils peuvent évoquer un sujet — projet, solution, plan — qui nous fournit un message synchronistique, celui-là même que nous attendions peut-être.

Et cela nous apporte un autre bienfait personnel : notre niveau d'énergie s'accroît. En envoyant de l'énergie aimante vers les autres, nous sommes les vecteurs d'une énergie divine, comme si l'on versait un liquide dans une tasse jusqu'à ce qu'il déborde dans d'autres. Lorsque nous nous sentons séparés de notre énergie, le fait d'élever spirituellement quelqu'un d'autre nous aide souvent à retrouver rapidement notre connexion intérieure avec le divin.

ÉLEVER SPIRITUELLEMENT LES MEMBRES D'UN GROUPE

Ce processus connaît un saut qualitatif quand nous le pratiquons collectivement. Imaginez ce qui arrive quand les membres d'un groupe interagissent tous avec cette intention. Chaque personne se concentre sur le moi supérieur, le génie, la lumière qui illumine le visage de ses voisins, et tous se rendent la pareille.

Ce processus est une affaire d'intention, qui débute dès que le groupe commence à interagir. Au moment où la première personne commence à parler, chacun des participants essaie de trouver l'expression du moi supérieur sur son visage et se met à se concentrer sur elle, en émettant de l'énergie et de l'amour. Le sujet sent alors un flux d'énergie lui parvenir, son bien-être et sa lucidité s'accroissent. L'effet est cumulatif au sein du groupe, puisque le membre du groupe qui reçoit cette énergie l'ajoute à la sienne et renvoie cette nouvelle énergie vers ses voisins, qui sentent à leur tour qu'ils peuvent émettre un flux d'énergie accru et le renvoient de nouveau, etc. L'énergie du groupe suit donc un cycle d'amplification permanente.

Cet accroissement systématique de l'énergie de chacun représente le potentiel spirituel de tout groupe humain. La Bible fait allusion à ce phénomène dans le passage où le Christ affirme : « Là où deux et plus sont rassemblés en mon nom, alors je suis au milieu d'eux. » Se relier à l'énergie divine et en augmenter l'intensité, tel est le véritable objectif des réunions de groupe. Peu importe qu'il s'agisse d'une rencontre de paroissiens ou d'une équipe de travail, ce processus peut amener la puissance créatrice des individus concernés à des niveaux incroyablement élevés.

LA DYNAMIQUE D'UN GROUPE IDÉAL

Imaginons que chacun des membres d'un groupe idéal se représente les niveaux potentiels d'énergie à sa portée. Chaque participant veille à rester centré, à conserver sa liaison intérieure avec l'énergie et l'amour divins. Il doit aussi être conscient de son objectif existentiel et de ses préoccupations actuelles. Il lui faut enfin se mettre dans un état de grande disponibilité vis-à-vis des coïncidences.

Dès que quelqu'un commence à parler, les autres se concentrent délibérément sur l'expression du moi supérieur qu'ils peuvent déceler sur son visage. Ils sont ainsi certains de lui envoyer de l'amour et de l'énergie pour l'élever spirituellement. Lorsque la première intervention est terminée, l'énergie se dirige naturellement vers la personne suivante. Ce déplacement occasionne chez la plupart des participants une baisse d'énergie. Mais le nouvel intervenant pressenti sent l'inspiration affluer en lui au moment où une idée ou une vérité lui vient à l'esprit.

Chacun de nous a, bien entendu, fait cette expérience à de nombreuses reprises. Nous avons soudain quelque chose à dire et, si le groupe est à l'unisson, cela nous donne l'occasion d'apporter notre contribution. Dans notre groupe idéal, les membres sauront intuitivement qui doit prendre ensuite la parole et déplaceront ensemble leur attention vers lui.

PROBLÈMES COURANTS DANS LES GROUPES

Cette transition d'un participant à l'autre peut se révéler délicate lorsque plusieurs personnes veulent prendre la parole en même temps. Lorsque cela se produit, cela signifie que l'un des intervenants n'est pas en phase avec les autres. Son attention est insuffisante, ou il essaie de lancer une idée qui lui est venue précédemment. Lorsqu'une inspiration inopportune est introduite dans la discussion, le groupe ressent un léger relâchement de l'énergie et perçoit que cette intervention a modifié de façon non pertinente le sujet. Il y a toujours un intervenant plus approprié, quelqu'un ayant l'intuition juste qui permet d'approfondir le sujet en cours et de l'orienter dans une direction productive.

Ceux qui monopolisent la parole

D'autres problèmes peuvent entraver le fonctionnement d'un groupe. Par exemple, lorsqu'un intervenant garde la parole plus longtemps que nécessaire. Cela se produit en général de la façon suivante : le groupe évolue très bien, chaque participant a l'intention d'envoyer autant d'énergie que possible vers autrui. Puis, alors que l'énergie commence à se déplacer naturellement vers un autre, l'intervenant ne le remarque pas et continue sur sa lancée, en pensant à certaines choses qu'il a envie de dire, bien que l'attention du groupe faiblisse.

Les participants sentent que le groupe s'écarte du flux d'énergie et commencent en général à s'agiter. Dans les cas extrêmes, la situation peut dégénérer en affrontement personnel, la confusion amenant plusieurs membres à se disputer la parole, chacun pensant avoir quelque chose de plus intéressant à dire que son voisin.

Celui qui monopolise la parole manque en fait d'assurance. Tant qu'il parle, il se remplit tout naturellement d'énergie et son moral est élevé. S'il s'agit d'un état qu'il ne peut atteindre seul, il hésitera à s'interrompre parce que l'énergie du groupe lui est fort agréable. Il se cramponne pour essayer d'attirer l'attention, de capter l'énergie des autres, aussi longtemps que possible. Cette forme assez répandue d'insécurité signifie simplement que cette personne devrait apprendre à renforcer son énergie intérieure, et à donner de l'énergie plutôt qu'à en recevoir.

Pour que quelqu'un cesse de monopoliser la parole, il faut d'abord qu'il reconnaisse cette mauvaise habitude. Si chacun voit clairement ce qui est en train de se passer, l'écueil peut être évité avec un minimum de dégâts pour le groupe. L'idéal étant, bien sûr, que l'intervenant s'aperçoive du problème et s'interrompe de lui-même. Sinon, celui qui a senti que l'énergie s'orientait vers lui peut demander, de façon diplomatique : « Pourrait-on revenir au point que tu as abordé précédemment ? J'aimerais faire un commentaire à ce propos. » Si celui qui a la parole ne le permet pas, d'autres membres peuvent à leur tour intervenir pour orienter enfin l'énergie vers la personne adéquate.

L'obstruction

Cette attitude, qui déstabilise fréquemment un groupe, provient aussi de l'insécurité de quelqu'un qui essaie d'attirer l'énergie et l'attention en contredisant systématiquement les autres. Elle a de nombreuses causes, mais se manifeste souvent à la suite d'un commentaire que l'un des participants émet sur un sujet particulier. Un élément de la personnalité d'un autre membre peut également déclencher une réaction[3].

L'obstruction se manifeste au moment où l'un des participants intervient pour contredire l'intervenant, alors que le groupe est en train de progresser. Si les membres qui expriment un tel désaccord sont dans le flux véritable de l'énergie, les autres déplacent leur attention vers l'argumentation du nouvel intervenant. Mais le blocage se produit lorsqu'un participant prend la parole sans que l'énergie se soit déplacée, le sentiment général du groupe étant que l'obstructeur a provoqué une interruption.

Autre symptôme : un participant continue à émettre des objections, répète à plusieurs reprises ses arguments, alors que d'autres membres du groupe ont pris la défense du premier intervenant. En général, celui qui se livre à une première tentative d'obstruction ne cesse de recommencer, afin d'attirer sans cesse l'attention. L'obstruction pose de graves problèmes dans un groupe parce qu'elle peut empêcher tout progrès.

Comme dans le cas de celui qui monopolise la parole, il faut s'opposer avec diplomatie à celui qui avance sans cesse des objections. Si le blocage est général, n'importe qui peut intervenir. Mais si la difficulté est circonscrite à un individu précis, la personne visée est parfois en meilleure position pour faire face à la situation, en tout cas au début.

Comme dans le cas d'un mécanisme de domination, la difficulté doit être abordée franchement et explicitement. Il vaut mieux effectuer la mise au point en privé, en dehors du groupe. Si cette démarche demeure sans effet, alors discutez le problème devant tout le monde. Si les membres sont suffisamment conscients, vous éviterez les réactions violentes et les reproches.

La passivité

Dans ce cas de figure, l'énergie collective se déplace vers quelqu'un qui refuse de prendre la parole. Cela se manifeste par une baisse d'énergie, une pause dans le flux. Le groupe est engagé, par exemple, dans une conversation fructueuse, a beaucoup avancé, lorsque soudain l'énergie dirigée vers l'intervenant décline et se déplace vers un autre participant. Mais celui-ci garde le silence. Les participants échangent des regards gênés, quelqu'un fait signe à celui qui devrait intervenir et regarde dans sa direction, mais rien ne se produit. Le sujet concerné ne dit pas un mot.

Nous avons tous plus ou moins connu des situations où une sensation de passivité nous a bloqués. Par exemple, nous participons avec intérêt à un groupe, nous écoutons attentivement, puis nous sentons une bouffée d'énergie au moment où une idée, une intuition ou une précision nous vient à l'esprit à propos du sujet en discussion. Une pause se produit à l'instant où l'énergie s'oriente vers nous, mais nous hésitons au moment de prendre la parole.

Ce genre d'incident nuit à l'efficacité d'un groupe. Chaque membre doit intervenir au bon moment si l'on veut maintenir le flux global d'énergie. Le résultat final, la « productivité » d'un groupe peuvent être considérablement limités, même si une seule personne se réfugie dans la passivité. Ce problème provient bien sûr d'un manque de confiance en soi chez l'individu en question, mais aussi entre les membres du groupe. On peut prévenir la passivité ou la réduire à son minimum simplement en s'assurant que les participants sont à l'aise les uns avec les autres, ou en ralentissant le rythme du groupe.

Lorsque de nombreux participants sont inspirés, la discussion progresse parfois trop vite, laissant insuffisamment de temps à chacun pour s'exprimer. Si ce rythme est consciemment bridé, les membres les plus timides, ou qui ne sont pas habitués au travail en groupe, ont le temps d'intervenir.

Il nous est tous arrivé de monopoliser la parole, de faire obstruction ou d'être passif à un moment ou à un autre. Mais le fait d'être conscient de ces écueils dans une dynamique de groupe peut nous aider à les éviter. Tout accroc dans cette dynamique peut être dépassé si ses membres restent vigilants et discutent ouvertement des difficultés qu'ils perçoivent.

LES GROUPES D'ENTRAIDE

Beaucoup d'entre nous participent à de tels groupes[4]. Les bienfaits sur le plan spirituel en sont nombreux. Ces regroupements s'occupent soit de problèmes de dépendance (alcoolisme, drogues, codépendance, boulimie ou achats compulsifs), soit de questions comme les rapports parents-enfants, la solitude, la mort, la séparation, le divorce, ou la recherche d'un travail adéquat.

Il existe également un type plus général de groupe d'entraide, qui poursuit des buts plus positifs et novateurs. Ce genre de groupe se concentre sur le développement de la créativité, de l'intuition et des coïncidences. Ils permettent à leurs participants d'exprimer et de vérifier la réalité de leurs perceptions et rêves spirituels. Ces groupes visent à maintenir l'énergie des participants à un niveau élevé, de façon qu'ils puissent s'entraider pour augmenter ensemble leur énergie et leur perception.

LES SOINS ET LA SANTÉ

Beaucoup de ces groupes s'intéressent à la santé de leurs participants. Par exemple, chacun se place tour à tour au milieu du cercle tandis que les autres projettent vers lui de l'énergie et des intentions de guérison, en visualisant les atomes de son corps en train de vibrer en parfaite harmonie. Comme cela a été démontré scientifiquement, cette intention collective concentrée peut mobiliser une force de prière qui a une efficacité réelle.

Si vous êtes déjà membre d'un groupe d'entraide, je vous recommande d'intégrer cette procédure dans votre discussion, de façon régulière. Formez simplement un cercle et que chacun se place au centre, tour à tour, pour être irradié d'intentions favorables à sa santé. Cette pratique ne doit évidemment jamais se substituer à la consultation d'un médecin, quand elle est nécessaire, mais elle contribue à soutenir l'énergie de santé.

TROUVER UN GROUPE

Si vous n'êtes pas encore intégré à un groupe, cette préoccupation deviendra peut-être importante pour vous un jour. Soyez dès lors vigilant, une coïncidence devrait placer le bon groupe sur votre chemin. Souvenez-vous, cependant, que le travail pour maintenir votre énergie à un niveau élevé contribuera à améliorer le fonctionnement collectif. Si vous rejoigniez un groupe en manquant d'assurance, vous le considéreriez avant tout comme une source d'énergie. Et vous seriez alors plus intéressé à recevoir qu'à donner. Les autres participants ressentiraient cette dépendance qui se manifesterait par un drainage de leur énergie.

Vous pouvez devenir conscient de votre mécanisme de domination et découvrir votre vérité fondamentale dans le cadre d'un groupe, à condition que celui-ci décide de vous aider. Le dialogue dans un groupe est également bénéfique lorsque vous examinez la préoccupation actuellement au centre de votre vie, explorez vos intuitions, interprétez vos rêves ou analysez le sens particulier d'une coïncidence.

Une fois que vous êtes prêt et pouvez entretenir ce niveau d'énergie, le meilleur groupe possible se présentera en général de lui-même. J'ai pourtant rencontré des gens qui semblaient prêts mais ne parvenaient pas à en trouver un. À mon avis cela signifiait qu'ils étaient appelés à en créer un. Cela peut vous paraître difficile, mais il suffit de vous présenter comme le fondateur d'un groupe et de rester vigilant. Vous vous retrouverez bientôt, dans une épicerie ou dans un centre commercial, en train de parler à quelqu'un qui signalera en passant qu'il cherche un tel groupe, lui aussi. Et soudain, il sera formé.

LA RELATION AMOUREUSE

Du point de vue de notre nouvelle éthique interpersonnelle, il n'y a pas d'enjeu plus important que la manière de mener une relation amoureuse. À la lumière de la nouvelle conscience spirituelle, nous semblons reposer l'éternelle question : comment faire durer nos relations amoureuses ? Pourquoi l'amour se termine-t-il et dégénère-t-il souvent en une complexe lutte pour le pouvoir ?

Habituellement, les débuts d'une expérience amoureuse sont assez faciles. Nous jetons un coup d'œil autour de nous et bing! la personne de nos rêves se tient là, devant nous. La première discussion avec elle le confirme. À la différence des attirances unilatérales, que nous avons tous connues, celle-ci semble promise à un bel avenir. Le sentiment éprouvé est réciproque. Nous nous trouvons d'innombrables valeurs et goûts communs.

Et l'émotion! L'amour déborde, et la relation sexuelle est tendre et passionnée. Nous en venons à ne plus voir que cette personne, voire à l'épouser, en faisant des projets à très long terme. Pour la première fois depuis longtemps, nous nous sentons comblés, et nous disons même que nous avons trouvé notre alter ego, la personne qui rend notre vie digne d'être vécue.

Et puis un incident se produit. Un jour, nous effectuons un petit bilan et constatons que notre couple ne colle pas vraiment. Notre partenaire a un comportement qui ne semble pas cadrer avec l'esprit de cet amour. Il ne nous accorde plus la même attention qu'au début. Ou nous comprenons que, dans notre enthousiasme effréné, nous ne nous sommes pas rendu compte qu'il ne nous en a jamais accordé suffisamment. Et, surpris, nous découvrons que notre partenaire a lui aussi des griefs à notre égard et critique notre personnalité et notre comportement. Chaque membre du couple commence à se protéger, et une classique lutte de pouvoir s'engage.

166

LA LUTTE POUR L'ÉNERGIE

Grâce à la nouvelle conscience spirituelle, nous savons désormais ce qui se passe. L'amour meurt et se transforme en une lutte de pouvoir parce que chaque partenaire commence à dépendre de l'énergie de l'autre, plutôt que de sa propre connexion intérieure avec le divin.

Examinons la façon dont ce problème naît habituellement. D'après la vieille vision matérialiste du monde, un petit garçon grandit avec une mère qui prend soin de lui, le nourrit et lui assure la sécurité. Le père, quant à lui, se montre plus exigeant : son fils doit aussi apprendre la dure réalité du monde pour devenir un homme. Dans l'esprit du petit garçon, la mère prend l'allure d'un personnage magique. Il la tient peut-être à distance si elle se montre trop étouffante, mais il s'attend à sa présence, au sens psychologique, chaque fois que son niveau d'énergie baisse.

Une petite fille est également choyée par sa mère. Mais celle-ci lui apparaît comme une personne exigeante, investie d'une lourde responsabilité : elle doit apprendre à sa petite fille ce qu'est le rôle d'une femme. Le père, au moins durant les premières années, représente une figure magique qui aime sa fille à la folie et la met sur un piédestal. Dans ses rêves, il lui procure toujours un sentiment de sécurité.

Cette division stéréotypée des rôles et des comportements perçus nous affecte irréversiblement. Nous avons beau dire qu'elle n'a plus de sens dans le monde moderne, le conditionnement psychologique inconscient de l'espèce influence souvent les relations amoureuses et suscite des conflits pour l'énergie. Les deux partenaires se mettent à se trouver des défauts et à être insatisfaits l'un de l'autre parce que chacun a besoin de plus que ce que l'autre pourra jamais lui offrir.

Au moment où nous tombons amoureux, nous associons nos énergies d'une manière qui nous procure un sentiment de plénitude. Notre compagnon (ou compagne) nous rappelle non seulement nos parents mais les sentiments positifs qu'ils nous inspiraient. Notre imagination projette sur l'autre, être imparfait, l'illusion magique que nous avons éprouvée avec notre père ou notre mère durant notre enfance. Nous ne voyons donc jamais le conjoint tel qu'il est en profondeur, mais sous les traits de notre fantasme préféré.

Plus la relation se développe, plus l'état amoureux se dissipe, chacun échouant à se conformer à l'image enchantée que l'autre a projetée sur lui. L'homme gère mal son budget, perd son travail ou rentre tard parce qu'il est allé assister à un match. La femme n'est pas là pour prendre soin de lui lorsque les choses vont mal. La bulle de perfection menace d'éclater.

Dans certains cas, la déception est si profonde que nous décidons de mettre au plus vite un terme à cette relation, de rencontrer un autre amour idéal qui ne nous laissera pas tomber. Mais cela revient à recommencer un cycle de déceptions. Dans d'autres cas, les amants restent ensemble mais s'enferment dans les schémas répétitifs de leurs mécanismes de domination.

Désormais, grâce à l'expansion de notre conscience, nous avons d'autres choix. Nous pouvons décider d'agir en accord avec la dynamique de l'énergie qui sous-tend ces problèmes.

INTÉGRER LE MASCULIN ET LE FÉMININ

Jusqu'à présent, nous n'avons parlé des expériences mystiques ou transcendantales que comme d'une manière d'établir une connexion avec l'énergie divine sous la forme d'une seule vague d'énergie que nous appréhendons comme amour, lumière et sécurité. C'est ce qu'elle est, mais, quand nous la rencontrons, elle a aussi des caractéristiques à la fois masculines et féminines. Car Jung et d'autres psychologues célèbres ont montré dans leurs études sur la nature archétypale de notre psyché que, pour être ouverts à tout le potentiel de la conscience transpersonnelle, il nous faut devenir conscients des aspects masculin et féminin de notre moi supérieur et les intégrer [5].

L'homme doit trouver, courtiser et enfin assimiler à son être l'énergie de la femme nourricière, pour se relier à son énergie divine intérieure. La femme, quant à elle, doit découvrir le pourvoyeur, le protecteur, le mâle audacieux qui réside en elle.

La lutte de pouvoir entre l'homme et la femme apparaît ainsi pour ce qu'elle est : le symptôme d'un vaste problème que notre société qualifie d'un terme flou, la codépendance [6]. Quand deux personnes se rencontrent et s'éprennent l'une de l'autre, elles mêlent en fait leurs champs d'énergie d'une façon qui leur apporte la part qui leur manquait — masculine ou féminine. Et elles commencent à dépendre de cette énergie. Au fur et à mesure que se développe cette relation, chacun se met à douter de l'autre, et le niveau d'énergie s'effondre. Les deux partenaires retombent dans leurs mécanismes de domination respectifs, en essayant de capter de l'énergie.

Si nous voulons réussir à établir des relations durables, et non vivre de simples trêves ponctuant une guerre froide permanente, il nous faut comprendre la dynamique de l'énergie qui est mise en jeu, avant de nous engager dans une histoire d'amour. Nous devons découvrir l'énergie du sexe opposé qui gît en nous avant d'espérer pouvoir entamer une relation durable. En un sens, atteindre l'équilibre entre l'homme et la femme qui sont en nous doit devenir un des rites de passage de l'adolescence, aussi important que l'admission à l'université ou l'obtention du permis de conduire. Aucun d'entre nous ne peut avoir une relation de qualité avant d'acquérir une certaine assurance spirituelle et un sentiment de complétude intérieure.

SE SENTIR BIEN TOUT SEUL

Comment savoir si vous avez réalisé cet équilibre d'énergie masculine et féminine et si vous avez suffisamment d'assurance ? Si vous vous sentez sécurisé et productif lorsque vous êtes seul, cela est à mon avis un signe. En clair, vous n'avez pas besoin de la présence d'un colocataire, ni d'être relié en permanence à d'autres gens. Vous vous sentez bien en préparant vos repas, vous êtes capable de les déguster non pas à grandes lampées debout devant la cuisinière, mais avec élégance, à la lueur d'une chandelle, sur une table que vous avez entièrement disposée. Vous organisez de temps en temps une sortie en solitaire — pour aller voir un film, prendre un verre, vous inviter à dîner, comme vous le feriez pour quelqu'un que vous aimez.

De la même façon, vous devez prendre soin de vous-même du point de vue financier, faire des prévisions pour l'avenir, mener vos propres transactions et développer vos propres activités de loisir. La personne sur laquelle nous devons nous reposer pour atteindre la plénitude, c'est le divin que nous découvrons en nous. Cela n'est ni faire preuve d'égoïsme ni se mettre en retrait, ou se détacher de la société. Nos relations avec les autres ne seront saines que lorsque nous aurons assumé toute notre énergie intérieure.

Alors seulement pourrons-nous envisager de vraies relations amoureuses. Comme le souligne Harville Hendrix, thérapeute pour couples, dans *Getting the Love You Want* et *Keeping the Love You Find*[7], tant que nous attendrons que notre énergie vienne d'une autre personne, nous serons emprisonnés dans des luttes de pouvoir.

Les relations qui nous révèlent nos problèmes de lutte pour le pouvoir surviennent à la suite de coïncidences significatives et sont en fait des relations sacrées, comme l'atteste *A Course in Miracles*[8]. L'image de nos dépendances nous revient sans arrêt par le biais d'autres personnes jusqu'à ce que le message passe. Ces relations nous permettent de transcender le besoin que nous en avons, si peu romantique que cela paraisse ; nous pouvons ensuite revenir à notre confiance dans notre connexion intérieure avec l'énergie divine, l'amour et la sécurité. Si nous sommes célibataires, des individus viendront à nous pour trouver un(e) partenaire codépendant(e). Si nous changeons souvent de partenaire, nous n'y gagnerons rien. Ce n'est qu'en résistant à de tels rapprochements que nous trouverons du temps pour renforcer notre connexion intérieure et accumuler l'énergie qui nous permettra de découvrir une âme sœur plus adéquate.

Étant donné ces difficultés, que devons-nous faire avec notre partenaire actuel ?

Vous pouvez tenter d'intégrer vos deux énergies sexuées, tout en demeurant dans une relation déjà établie, à la condition expresse que vous et votre partenaire compreniez la dynamique de l'énergie du processus et y travailliez ensemble. Il est beaucoup plus difficile d'entamer le processus tout seul.

Revenez à l'amour chaque fois qu'une lutte de pouvoir éclate. Restez vigilant sur ce qui se passe lorsqu'un conflit débute. L'un des partenaires, au moins, est insatisfait du comportement de l'autre, parce que celui-ci ne parvient pas à se conformer au souvenir du parent idéal ou magique que le premier a projeté sur lui et parce que sa source intérieure d'énergie est trop faible. Nous avons besoin d'une personne qui corresponde à cet idéal, parce que cela permet à notre esprit de se détendre et d'attendre la sécurité de ce partenaire. Cette projection, et toute attitude consistant à se reposer sur quelqu'un d'autre comme s'il était un substitut à l'énergie divine intérieure, ne marche jamais, et tout se termine infailliblement par des luttes de pouvoir.

Revenez à un état d'amour et de sécurité intérieure, même si la bataille suit son cours, et élevez l'autre de toute votre force. Pour cela, il faut avoir fait l'expérience d'une connexion mystique, transcendantale, dans le passé, et se la remémorer. En d'autres termes, le recours à l'amour n'est pas une idée, mais une transformation réelle, où nous cherchons à retrouver une expérience d'amour et de sécurité provenant de l'énergie divine présente en nous.

Encore une fois, vous seul pouvez estimer si vous y êtes effectivement parvenu. *A Course in Miracles* soutient que deux personnes peuvent atteindre cet état au beau milieu d'un affrontement, si elles plongent suffisamment profondément dans l'amour. C'est à mon avis très difficile dans une lutte de pouvoir intense. Beaucoup de gens vivant une relation perturbée envisagent de se séparer — ou du moins de limiter la fréquence de leurs rencontres. Cela ne peut réussir que si les deux partenaires utilisent cette période pour découvrir l'ouverture mystique, la possibilité d'avoir des expériences transcendantales, et insèrent ensuite cette capacité dans leur relation.

Que faisons-nous, cependant, lorsque nous sentons que nous sommes simplement dans une mauvaise relation ? L'abandonnons-nous ? C'est le choix de beaucoup, mais à moins de rechercher la plénitude personnelle avant de recommencer une autre relation, nous ne ferons que répéter le même schéma.

Comment savoir si nous sommes prêts, si nous avons réussi à équilibrer les principes masculin et féminin qui sont en nous ? Certains thérapeutes affirment que notre degré de lucidité ou le niveau d'énergie que nous sommes capables d'atteindre seuls importent peu : nos capacités d'amour intérieur et notre sécurité seront toujours mises à l'épreuve. Ils ont raison. Mais je crois également que l'énergie et le sentiment de sécurité que nous apprenons à puiser en nous sont les deux facteurs de réussite fondamentaux.

Aucune activité humaine n'est davantage éclairée par la nouvelle conscience spirituelle. Il est capital d'appliquer la nouvelle éthique interpersonnelle dans notre vie. Au fur et à mesure que notre conscience spirituelle s'élargit, notre responsabilité envers nos enfants s'accroît et se précise. De même que nous sommes allés vers nos parents pour apprendre à connaître le monde, de même nos enfants nous ont choisis. Ils veulent apprendre notre façon d'être, la manière dont nous trouvons la réaction adéquate dans les diverses situations, et notre stratégie d'attente qui aide à créer l'avenir. Comme nous le verrons dans les chapitres suivants, cette relation entre les générations détermine à long terme l'évolution humaine et le progrès lui-même. Ce que la société réalise en fin de compte dépend, dans une large mesure, du degré de conscience avec lequel chacun d'entre nous s'engage dans ce processus.

Il est vital de savoir où nous en sommes, au fur et à mesure que notre conscience personnelle s'élargit, pour en faire bénéficier nos enfants. La régression vers la vieille conception matérialiste du monde, héritée de nos parents, nous menace toujours. Nous nous disons qu'un enfant ne peut saisir les complexités de notre développement intérieur. Trop souvent, nous nous focalisons sur le côté matériel et social de la vie — en élevant notre progéniture plus ou moins de la manière dont nous l'avons été.

À nous de trouver les mots simples pour communiquer nos rêves et notre expérience spirituelle à notre progéniture. Un enfant peut comprendre nos idées sur l'énergie intérieure divine, la manière dont fonctionnent les mécanismes de domination et la force des coïncidences. Ayez le courage d'essayer et vous découvrirez la bonne manière de communiquer.

RESTEZ CENTRÉ PENDANT
QUE VOUS APPRENEZ
LA DISCIPLINE À VOS ENFANTS

La discipline constitue un autre aspect important de l'activité parentale, comme le souligne la nouvelle éthique. Nous disposons maintenant d'une bonne compréhension scientifique de ce qui va mal dans beaucoup de familles, et la société est scandalisée par l'étendue incroyable des dommages commis dans le passé. Autrefois, nous fermions les yeux sur la violence et l'inceste au sein des familles, mais c'est désormais fini. Nous sommes dorénavant à l'affût du moindre mauvais traitement contre les enfants.

Or, lorsque nous considérons l'activité parentale du point de vue de la dynamique de l'énergie, nous voyons que nous devons également nous garder d'une forme d'abus plus subtile : notre comportement peut aussi amener nos enfants à drainer notre énergie. Il nous faut apprendre à marcher sur une voie étroite. Nous causons du tort à nos enfants en nous montrant trop laxistes. Nous devons intervenir lorsqu'ils maltraitent leurs camarades ou qu'ils négligent les réalités du monde. Un parent doit élever son enfant avec une espèce d'« amour sévère ». Il faut apprendre à nos enfants à vivre avec les autres — à se socialiser —, et si nous échouons dans ce domaine c'est un peu comme si nous les laissions tomber. Trouvons le moyen de leur enseigner les conséquences de leurs actes sans pour autant les opprimer.

Cette méthode équilibrée commence, à mon avis, par une vérification constante de notre propre niveau d'énergie. Dans chaque interaction avec nos enfants, vérifions que nous sommes connectés à notre énergie intérieure, et donc en mesure de maintenir une intention d'amour, quelle que soit la situation. Le pire qui puisse nous arriver c'est de retomber dans l'inconscience, et de recourir à nos vieux mécanismes de domination, d'adopter, par exemple, le comportement de l'Interrogateur en houspillant nos enfants et en absorbant leur énergie. Tout cela les amènera à élaborer leur propre technique de manipulation pour se défendre.

Souvenons-nous de la dynamique sous-jacente de l'énergie. Quand nos enfants négligent les règles et foncent tête baissée, sans réfléchir, nous pouvons les arrêter et les corriger tout en les élevant, en nous concentrant sur le génie présent sur leur visage. Envoyons le message psychologique suivant : « Tu n'as pas bien agi mais tu es bon. »

Nous désirons être toujours là avec notre énergie, leur apprendre notre vision du monde et notre vérité sur les éléments dont ils doivent tenir compte pour atteindre la plénitude existentielle — y compris le fait qu'ils finiront par trouver leur propre connexion intérieure avec le divin. C'est à ce moment-là qu'il faudra les laisser voler de leurs propres ailes.

POURQUOI NOS ENFANTS
NOUS ONT-ILS CHOISIS?

Si nous avons choisi nos parents, au niveau de notre moi supérieur, et si nos expériences avec eux nous ont préparés à découvrir une vérité qu'il nous faut diffuser autour de nous, le même processus se produit donc avec nos propres enfants. En façonnant ce que nous sommes vraiment, nous leur donnons la formation qu'ils sont venus recevoir auprès de nous.

Soyons prudents, cependant, lorsque nous essayons de nous représenter ce qu'est cette préparation ou ce que leur vérité devrait être. Personne n'est mieux qualifié qu'eux pour l'évaluer et ils le feront un jour. Les parents ne doivent jamais affirmer qu'ils savent ce que leurs enfants sont supposés être et faire. Une telle présomption rétrécit l'éventail des choix pour ces âmes dont nous avons la charge, et cette erreur risque d'entraîner des décennies de rancœur.

Certes, nous pouvons avoir une intuition sur le sens probable de la vie de notre progéniture. Je suis certain que tel est bien le cas. Quel parent ne fait pas de rêve éveillé sur l'avenir de son enfant, ne serait-ce que pour le plaisir de sentir que cette possibilité se réalise? Les parents ont parfois des pressentiments particuliers, non seulement pour des projets d'études et de carrière mais aussi pour divers défis psychologiques dont leurs enfants doivent devenir conscients, s'ils veulent accomplir leur destinée.

Si nous avons des visions intuitives sur l'avenir de notre progéniture, n'en tirons pas des conclusions définitives et n'émettons pas des prophéties qui s'accompliront elles-mêmes. Cela reviendrait à ôter à nos enfants la maîtrise de leur propre futur, qui sera toujours plus ouvert et plus synchronistique que nos intuitions. Contentonsnous de partager tendrement nos sentiments, tout en résistant à la tentation de surveiller sans cesse nos rejetons ou de les réorienter à chaque impasse qu'ils rencontrent. Les erreurs qu'ils commettent leur enseignent d'importantes leçons qui se révéleront peut-être essentielles dans leur vie.

UNE VISION PLUS GLOBALE
DU RÔLE PARENTAL

Pour bien comprendre les implications spirituelles de l'activité parentale, il nous faut considérer ce domaine de la vie dans la perspective la plus large possible. Nos enfants sont avec nous parce qu'ils veulent apprendre notre façon de voir la vie, y compris nos croyances spirituelles. Rien n'est plus important que de partager notre vie ouvertement avec notre progéniture. Tenez compte des questions d'âge pour certains sujets, mais restez honnête. Trouvez des moyens pour communiquer ce que vous vivez, ce que vous avez découvert sur le plan spirituel pour tirer partie au mieux de la vie, et que vos enfants peuvent comprendre.

Un autre problème peut survenir dans les familles lorsque le père ou la mère se consacre exclusivement à son activité parentale. Je ne veux pas parler du parent au foyer, qui continue en général à évoluer. Je pense à ceux qui cessent de vivre pour euxmêmes et se mettent à accorder toute leur attention à leurs enfants, qui ne vivent plus que par procuration, à travers les expériences de leurs rejetons, bonnes ou mauvaises.

Pis, certains parents font de leur enfant le déterminant de leur propre auto-estime et de leur statut social, comme ceux qui s'investissent exagérément dans les performances sportives ou les concours de beauté de leur progéniture. Il est de la plus haute importance de demeurer créatif et de faire évoluer notre vérité selon ses propres critères. Nos enfants se sont incarnés à nos côtés pour voir notre vie en action, en tirer des leçons et construire à partir de là.

La relation n'est bien sûr pas univoque. Nos enfants nous aident à clarifier le sens de notre vie et notre développement synchronistique. Si nous commençons par être des pourvoyeurs d'énergie, ils se mettent rapidement à nous renvoyer des messages synchronistiques importants. En reproduisant notre comportement, ils nous donnent une image plus claire de nous-mêmes. Il ne s'agit pas simplement d'expressions et de façons de parler. Cela concerne tout notre comportement et notre façon de créer.

Si nous refusons d'affronter certaines techniques de manipulation ou réactions négatives, elles se manifesteront chez notre progéniture. Comme nous le verrons plus loin, les enfants sont ainsi effectivement punis pour les péchés de leurs parents. Ce fait devrait à lui seul nous inciter à demeurer lucides, connectés à notre énergie intérieure, et à construire une vie qui suive une évolution consciente.

VIVRE LA NOUVELLE ÉTHIQUE

Comme nous l'avons vu, la nouvelle éthique interpersonnelle a un vaste champ d'application. Une fois que nous avons atteint le niveau de conscience où nous savons que la plupart des coïncidences se produisent à travers autrui, nous commençons à utiliser la dynamique de l'énergie que nous avons apprise pour élever spirituellement notre entourage. Cela se passe à la fois sur un plan individuel et dans les groupes de toutes sortes, et c'est très important dans les relations amoureuses. Celles-ci nous mettent au défi de demeurer centrés et connectés ; elles renforcent le besoin de nous reposer sur notre propre source d'énergie divine pour garder notre sentiment de sécurité. Nous devons toujours apporter de l'énergie à nos partenaires, et non leur en prendre — et cette capacité décide de la qualité de la relation.

Fournissez également de l'énergie à vos enfants pour les guider loyalement, sans trop les contrôler, et leur laisser apprendre ce que vous êtes réellement. La récompense est toujours la même : une série de riches coïncidences se produit quand vous pratiquez cette éthique avec tout le monde. Plus vous donnez de l'amour et de l'énergie, plus vous recevez de messages synchronistiques, et plus votre vie sera créatrice, efficace et inspirée.

Une raison encore plus profonde nous pousse à adopter cette nouvelle éthique. Au fond de nous-mêmes, nous savons que, si un nombre critique d'êtres humains maintiennent leur énergie à un certain niveau et s'efforcent de vivre selon cette éthique, le monde se prépare à effectuer un grand saut dans l'évolution.

10

Vers une culture spirituelle

Quel est notre prochain pas dans l'expérience de la nouvelle conscience spirituelle ? Guidés par l'intuition, nous allons maintenant découvrir ensemble le but de notre évolution. Que se passerait-il si tout le monde partageait cette sensibilité ? Comment la culture humaine se transformerait-elle ?

Rechercher des réponses à ces questions exige de commencer par s'ouvrir à une vision intérieure de la destinée humaine. Nous pouvons déjà constater que divers aspects de notre culture sont en train de se transformer.

L'IMPORTANCE DE LA DÎME SPIRITUELLE

Pour la littérature mystique classique, il existe une loi universelle du donner et du recevoir. Comme le montrent la Bible (lorsqu'elle affirme que nous «récolterons ce que nous avons semé») ou la loi du karma en Orient, les religions enseignent que nos intentions et nos actions ont un effet boomerang, pour le meilleur ou pour le pire. Ce qu'aujourd'hui on exprime par : «Nous devons rendre ce que nous avons reçu.»

De nombreux penseurs religieux et mystiques ont eu recours à ce principe pour moraliser la circulation de l'argent dans la société, en reliant cette conception ésotérique de la cause et de l'effet à la vision de la *dîme* dans les Écritures. Selon Charles Fillmore, fondateur de l'Unity Church, Napoleon Hill et Norman Vincent Peale, chaque fois que nous donnons notre amour et notre énergie aux autres, y compris sous forme d'argent, cela provoque toujours un effet en retour. Nous recevons alors une gratification encore plus importante, financière ou autre [1]. À ma connaissance, personne n'a entrepris de recherche rigoureuse à ce sujet, mais les témoignages qui corroborent cette hypothèse semblent se multiplier rapidement, car nous essayons de plus en plus d'en vérifier la validité.

Le problème vient du fait qu'autrefois les Églises traditionnelles, influencées par le vieux paradigme matérialiste qui chassait les mystères et les miracles de l'univers, n'évoquaient la dîme qu'au moment des collectes annuelles d'argent. D'où l'impression qu'il ne s'agissait que d'un moyen de les soutenir. La diffusion et le partage plus amples des expériences spirituelles au cours des dernières décennies ont élargi rapidement la compréhension du mécanisme de la dîme. On croit de plus en plus que le fait de donner déclenche tout un processus métaphysique, et cela est parfaitement conforme à l'idée que l'univers réagit à nos demandes.

Dans le passé se posait aussi le problème de savoir à qui verser notre dîme. Certains croient encore aujourd'hui que seules les Églises officielles sont qualifiées pour la recevoir, parce qu'elles sont les gardiennes de la foi et qu'elles fournissent un courant régulier d'informations spirituelles. D'autres pensent que tout acte de charité est fondamentalement une dîme et qu'il amènera une réponse de l'univers. En fait, le versement de la dîme est un processus qui doit toujours s'intégrer au mouvement global des coïncidences dans notre vie. En d'autres termes, nous saurons à qui donner en nous fiant aux coïncidences rencontrées sur notre chemin.

De ce point de vue, il y a deux sortes de dîme. L'une est intuitive, elle répond à un pressant besoin de donner de l'argent à un individu ou une organisation, besoin que nous nous sentons intérieurement poussés à satisfaire. Un de mes amis se pose toujours la question suivante : si Dieu ne pouvait venir et t'envoyait à Sa place, que ferait-Il dans cette situation ? Au niveau le plus élevé, nous donnons parce que nous sommes présents à ce moment-là. Si nous ne réagissons pas à la situation, qui le fera ?

Le second type de dîme, particulièrement important pour la transformation de l'humanité, est le don que nous faisons à nos sources d'information spirituelle, aux pourvoyeurs de nos moments synchronistiques quotidiens. Étant donné que les Églises et les organisations spirituelles nous fournissent souvent des informations au moment adéquat, elles continueront certainement à bénéficier de nos dons, mais il en ira de même pour des individus. Comme nous l'avons vu, ce sont presque toujours les messages provenant d'autrui qui nous guident dans notre voyage. La dîme constitue un moyen d'y répondre.

Imaginons un instant que tous ceux qui vivent leur croissance synchronistique se mettent à rétribuer leur prochain de cette façon. Un nouveau type de flux économique s'amorcerait. Nous donnerions de l'argent spontanément aux personnes qui nous fournissent des messages et, en communiquant notre vérité autour de nous, de l'argent nous reviendrait exactement de la même façon*.

Je crois que le don spontané renforce notre système économique. La foi dans les coïncidences peut améliorer et élargir le vieux paradigme uniquement fondé sur la planification logique. En agissant ainsi, nous n'abandonnons pas les vastes réseaux de gens avec lesquels nous faisons déjà des affaires au sens économique traditionnel. Nous leur accordons spontanément une contribution supplémentaire, ce qui permet au système économique tout entier de passer à un autre niveau de productivité.

LA NOUVELLE ÉCONOMIE

L'introduction de la dîme synchronistique nous aide aussi à nous adapter à d'autres tendances économiques néfastes : la réduction des effectifs dans les entreprises, ou la stagnation des salaires dans les pays développés, par suite de la compétition internationale.

La diminution des effectifs n'est possible que si les employés qui conservent leur place augmentent leur productivité, ce que permettent justement les ordinateurs et les nouveaux systèmes de communication. La compétition accrue entre les salaires ne cessera de s'aggraver si le reste du

* J'ai reçu de nombreux dons et je reverse toujours cet argent pour accomplir une dîme personnelle. À l'avenir je demande à tous ceux qui voudraient m'adresser de l'argent d'envoyer ces sommes à une association caritative locale. *(N.d.A.)*

monde rejoint le niveau de créativité que les nations développées ont atteint. Cette tendance va donc durer et nous serons contraints de nous y adapter. Cela ne signifie certainement pas qu'il faille encourager les pays en voie de développement à commettre les mêmes erreurs que nous, à gaspiller les ressources ou à surexploiter les travailleurs, mais la plupart d'entre nous considèrent que ces pays ont le droit de participer à l'économie mondiale.

Comment faire face à ces difficultés ? D'abord, nous devons avoir une vision plus globale de l'évolution économique[2]. Aux États-Unis, les indicateurs économiques les plus suivis mesurent la productivité, c'est-à-dire la quantité de biens et de services produits par unité de travail. Si notre production augmente, nous considérons que notre économie est en bonne santé et prospère. Mais il faut se demander où cela aboutira. Chaque année, de moins en moins de salariés suffiront à produire le nécessaire.

Nous ne devons pas considérer cette évolution comme négative, mais comme extrêmement positive, parce que notre attention créatrice va en être libérée. Les difficultés actuelles font partie de l'évolution économique prédéterminée du monde. En en devenant conscients, nous saurons mieux nous orienter.

À court terme, l'industrie s'automatisera de plus en plus, et les entreprises qui embauchent ne produiront plus des marchandises mais de l'information. Ce processus est déjà en marche. Aux États-Unis, un nombre croissant de personnes se mettent à leur compte — mais, pour la plupart, elles ne créent ni des commerces de détail ni des sociétés nécessitant un local bien situé et un investissement élevé en capital ; il s'agit d'emplois qui occupent de nouvelles niches économiques, comme le télétravail. En Amérique, trente-cinq millions de ménages ont maintenant une entreprise flexible à domicile, et la plupart de ces emplois concernent le secteur de l'informatique[3].

À long terme, nos besoins les plus fondamentaux seront satisfaits par un appareil de production entièrement automatisé et notre vie économique s'orientera presque complètement autour du flux d'informations en temps réel. Il s'agira d'abord des informations concernant le processus d'automatisation, mais elles finiront par refléter notre évolution vers une culture spirituelle, et comprendront des éléments purement spirituels.

L'introduction de la dîme facilitera bien sûr cette évolution, elle augmentera d'abord nos revenus tandis que l'économie subit sa mutation, puis elle remplacera le vieux système consistant à faire payer les services. Chacun exprimera sa vérité dans un flux de rencontres synchronistiques et recevra de l'argent de ceux qui paient la dîme. Si iconoclaste que cela puisse paraître pour le vieux paradigme de la libre concurrence, un tel système est en fait une conséquence logique du capitalisme.

Comme nous le verrons plus loin, si nous croyons au vieux principe capitaliste qui consiste à découvrir un besoin puis à le satisfaire, notre économie n'a pas d'autre avenir possible. Premier stade d'un tel fonctionnement, il faudrait établir un droit élémentaire à la propriété, grâce notamment aux actions des industries automatisées. Cela garantirait la satisfaction des besoins fondamentaux, que nous compléterions par l'apport d'informations et de services synchronistiques.

Un tel système pourrait même cesser d'utiliser la monnaie, comme certains auteurs de science-fiction l'ont imaginé. Cela suppose, assurément, que la nouvelle conscience spirituelle que nous avons dépeinte soit devenue une réalité humaine.

Il faudrait, en outre, que se produisent certaines découvertes technologiques fondamentales, comme une nouvelle source d'énergie peu coûteuse. Nous en sommes plus proches que jamais. D'après le Dr Eugène F. Mallove, nous sommes sur le point d'avoir accès à de nouvelles sources d'énergie, telle la fusion froide, qui a suscité tant de débats[4]. Si une énergie à bas coût pouvait être intégrée à l'économie mondiale, l'automation exploserait.

Plus important encore : nous devons commencer dès maintenant à vivre avec cette nouvelle idée de l'économie. Quels sont les obstacles économiques ? Si William Greider[5] a raison, nous devons nous préparer à une dislocation économique éventuelle résultant de la spéculation financière actuelle. D'après lui, le monde se trouve dans la situation des États-Unis juste avant 1929 : on a trop emprunté pour spéculer. Quand la bulle creva en 1929, il se produisit une soudaine crise de liquidités. Les banques qui avaient prêté l'argent des déposants pour spéculer ne purent rembourser et durent fermer leurs portes. Beaucoup de gens y perdirent toutes leurs économies.

Pour réagir à cela, les États-Unis imposèrent des limites aux emprunts des particuliers et instituèrent, comme de nombreux autres États, des dépôts de garantie. Mais au cours des dernières années, face à la croissance du marché mondial, les gouvernements ont autorisé le capital financier à franchir les frontières à peu près sans la moindre réglementation. De nos jours, de plus en plus d'argent sert aux spéculations et investissements internationaux, et c'est exactement ce qui a provoqué le désastre de 1929. Cette spéculation mondiale touche aujourd'hui toutes les grandes devises, sans qu'aucun gouvernement puisse intervenir sérieusement. Des sommes immenses sont empruntées dans un pays et investies de façon spéculative dans un autre, sans pratiquement la moindre limite. Un faux pas, une faillite susceptible de mettre en danger la santé bancaire d'un ou de plusieurs pays est envisageable.

Ces problèmes montrent à quel point les économies locales ont besoin de se renforcer. La dîme synchronistique pourrait pondérer et contourner les difficultés engendrées par de tels excès.

SYNCHRONICITÉ ET ÉNERGIE

Qu'en est-il des autres mutations de la culture humaine résultant de la nouvelle conscience spirituelle ? L'expansion continue de notre niveau d'énergie personnelle paraît le facteur le plus important. Lorsque nous expérimentons le flux intégral de l'énergie au cours d'une expérience mystique, la synchronicité de notre vie commence à révéler notre vérité personnelle. Et, en communiquant celle-ci, nous pourrons systématiquement atteindre des niveaux de plus en plus élevés de cette énergie mystique. En d'autres termes, en suivant la voie des coïncidences significatives, nous pourrons vivre à des niveaux d'énergie de plus en plus élevés.

N'est-ce pas le processus qui a sous-tendu toute l'histoire humaine depuis l'origine ? Depuis que l'humanité conserve ses acquis par écrit, chaque

génération a été plus forte et a vécu plus longtemps que la précédente. La civilisation humaine
a même créé des exemples de plus en plus complexes de ce que nous avons toujours appelé le
génie. Un pourcentage plus élevé que jamais de
l'humanité mène une vie inspirée et riche en énergie. Dans le passé, nous avons expliqué ce progrès
en termes matérialistes — par une alimentation
améliorée, une hygiène plus développée et les
avancées de la médecine.

Aujourd'hui, l'ancienne vision matérialiste du
monde évolue vers une nouvelle compréhension
dans laquelle nous savons qu'il n'existe rien de
matériel. Au niveau le plus infime, les atomes de
nos corps disparaissent pour se transformer en
simples schémas d'énergie, en ondes vibratoires,
qui peuvent changer de forme et se reconstituer de
façon tout à fait étonnante. Comment expliquer,
sinon, les guérisons spontanées, la disparition de
tumeurs ou la régénération de tissus pratiquement
du jour au lendemain[6]? Le progrès des générations provient de l'inspiration, de la foi, de la
confiance, et de niveaux d'énergie intérieure de
plus en plus élevés.

CE QUE LE SPORT NOUS ENSEIGNE

Quand on parle à des sportifs, professionnels ou
amateurs, on s'aperçoit que la plupart d'entre eux
s'impliquent dans ce genre d'activité non pas pour
gagner ou améliorer leur silhouette, mais pour
les satisfactions intérieures qu'ils en retirent. La
course à pied ou l'aérobic procurent l'excitation et
l'euphorie qu'apporte une victoire sur un obstacle,
sur un « mur » infranchissable. Les sportifs assu-

rent qu'après leur activité intense, ils se sentent plus légers, plus calmes, plus coordonnés, plus à l'aise dans leurs mouvements.

Nous nous lançons dans des exercices physiques parce que cela nous permet, pendant et après, de nous sentir plus forts, pleins d'énergie, voire plus intelligents. Chaque année, nous sommes meilleurs durant une période de temps plus longue. La musculation, la course à pied, les arts martiaux, le tennis, le patin à glace, le saut en hauteur, le golf, la natation, la gymnastique, toutes ces disciplines voient leurs anciens records régulièrement dépassés. Les performances du moment sont le marchepied d'une excellence nouvelle.

L'ancienne vision du monde, qui réduisait notre corps à des muscles, des os et des ligaments, est incapable de nous dire où ce processus aboutira. Si on le lui demande, un matérialiste avouera que le corps humain finira par atteindre la limite de son potentiel : un coureur à pied ne pourra aller plus vite, un haltérophile lever davantage de kilos, ou un joueur de tennis attraper une balle liftée à l'autre bout du court. Pourtant, comme le cent mètres en dix secondes, toutes les barrières finissent par être franchies. Nous ne cessons d'aller de plus en plus vite, avec une coordination, un rythme et une légèreté accrus.

Quelle peut être la limite ? La seule réponse qui corresponde à la réalité, c'est qu'il n'y en aura pas. Tôt ou tard, les athlètes courant le cent mètres seront si rapides que leur corps changera instantanément de forme pour réagir à la volonté et à la certitude de ce qui est possible. Ils deviendront de simples éclairs de lumière quand ils s'élanceront sur la piste.

Tout au long de l'Histoire, l'Orient a produit des hommes qui semblent avoir repoussé les limites des capacités humaines. Dans son important ouvrage, *The Future of the Body*, Michael Murphy a rassemblé une impressionnante série de cas de transformations corporelles inhabituelles, y compris la capacité à léviter, à changer de forme spontanément ou à réaliser d'incroyables exploits physiques[7]. De nombreux penseurs orientaux considèrent que ces capacités résultent d'une pratique optimale du yoga, rare sans doute, mais qui est le fruit attendu d'années de méditation et de pratique gestuelle.

Depuis des siècles, l'Occident est totalement stupéfié par ces pouvoirs. La Bible nous dit que Jésus apparut et disparut à volonté, marcha sur l'eau, etc., mais après que Newton eut comparé l'univers à une sorte d'horloge, de telles capacités furent considérées comme magiques ou métaphoriques, simple matière à mythes ou à supercheries, et non comme une capacité que des humains pourraient reproduire. L'Église expliqua que ces pouvoirs étaient un signe de divinité — et donc inaccessibles aux êtres humains.

Michael Murphy a pourtant montré que les exemples de capacités transcendantales abondent aussi bien dans l'histoire de l'Occident que dans celle de l'Orient. Ce que des adeptes entraînés réussissent à faire, le commun des mortels peut également y parvenir.

Ces quelques observations nous font entrevoir la manière dont la culture humaine va se transformer. Et cette vision nous insuffle un courage supplémentaire pour changer notre mode de vie et assimiler complètement le monde spirituel dans lequel nous vivons.

Le monde nouveau permettra une grande créativité et un accomplissement personnel considérable. Imaginez ce que sera la vie lorsque la plupart des gens avec qui nous parlerons connaîtront le processus et attendront de chaque conversation qu'elle apporte un message particulier.

L'intensité et les modalités des interactions humaines changeront complètement, et cela influencera rapidement l'économie. Lorsqu'une partie suffisante d'entre nous aura compris et expérimentalement démontré que le principe de la dîme fonctionne, nous ferons intégralement nôtre ce processus, en versant de façon synchronistique un pourcentage de nos revenus aux causes qu'il nous paraîtra utile de soutenir. De la même façon, les occasions et l'argent nous reviendront de façon presque magique, conformément à nos attentes. La preuve est dans le résultat.

Cette économie du don augmentera d'abord nos revenus, tandis que les avancées technologiques de l'automation satisferont un nombre croissant de nos besoins matériels. Elle caractérisera ensuite l'ère de l'information. Notre attention collective passera de l'accumulation matérielle à l'inspiration spirituelle et à la croissance synchronistique. Au fur et à mesure que les coïncidences se multiplieront, et que l'inspiration augmentera, nos corps atteindront des niveaux d'énergie de plus en plus élevés, jusqu'à ce que nous devenions des êtres spirituels de lumière.

11

La vision de l'Après-Vie

Si notre destin est de devenir des êtres spirituels sur Terre, qu'en est-il du reste de notre histoire, du processus de la naissance et de la mort ? Qu'allons-nous découvrir sur la dimension céleste dont nous venons et où nous retournons quand notre temps est achevé ici-bas ?

D'après les derniers sondages, une grande majorité des Américains croient à l'Après-Vie, et la proportion est encore plus forte dans de nombreux pays étrangers. Mais, tout le confirme, nos conceptions de la vie après la mort sont très différentes de l'idée du Ciel et de l'enfer qui prédominait dans l'ancienne culture matérialiste [1].

Dans le passé, nous avions une vision gentiment caricaturale de l'Après-Vie avec ses anges, ses harpes et ses nuages. Puisque nous niions le mystère de la mort, nous ne pouvions analyser le sujet de près. La culture occidentale n'avait pas de temps à consacrer à une approche pragmatique de la mort.

Mais, comme nous l'avons vu, la psychologie humaniste du milieu du xxe siècle ébranla cette situation. Aujourd'hui, non seulement nous regardons la mort comme un élément naturel de la vie, mais nous comprenons dans le détail ce qui advient au cours de ce passage. Notre culture est submergée depuis plusieurs décennies par des informations nouvelles à ce propos. De multiples ouvrages sont parus sur les expériences de mort imminente (NDE), offrant des récits de première main fournis par des individus cliniquement morts durant un certain temps et qui sont revenus à la vie. La plupart d'entre eux ont senti — ou ont été convaincus de sentir — qu'ils avaient encore quelque chose à accomplir.

De plus, certains chercheurs tout à fait estimés, tels Kenneth Ring et Melvin Morse, ont procédé à une analyse scientifique de ces expériences, et ont publié le résultat de leurs travaux pour le grand public[2] — ce qui a accru la crédibilité des NDE.

Quelques films ont également contribué à diffuser cette information sur l'Après-Vie et à la rendre plus vraisemblable. Qui n'a pas été captivé par le réalisme de *Always*, où un pilote de l'administration des Eaux et Forêts sauve la vie d'un ami mais perd la sienne dans l'explosion terrible de son avion ? Il se retrouve un peu plus tard en train de marcher et croit avoir échappé à la mort. Un esprit le convainc qu'il est bien décédé, et qu'il doit maintenant se comporter lui aussi comme le guide spirituel du pilote maladroit qui le remplace. Le réalisme de ce lien est impressionnant.

Le film *Ghost* en offre une autre illustration. Un homme est tué dans une tentative de braquage, mais il se trouve pourtant encore sur Terre et voit ce qui s'y passe, tout en étant incapable de manifester sa présence aux autres. Il est resté pour protéger un ami contre un meurtrier qui cherche le mot de passe secret d'un ordinateur. Au fil de l'intrigue, il rencontre d'autres fantômes, apprend comment ceux-ci réussissent à entrer en contact avec les vivants et fait la connaissance d'un médium qui peut vraiment communiquer avec lui.

Ces films fascinants reflètent une connaissance embryonnaire de ce à quoi nous pouvons nous attendre après notre décès. De nombreuses questions demeurent sans réponse mais, grâce à la diffusion de ces informations, nous avons une image plus nette de la mort, et cette connaissance élargit notre perspective sur notre existence terrestre et sur l'évolution.

LES EXPÉRIENCES
DE MORT IMMINENTE (NDE)

L'un des aspects stupéfiants des NDE, c'est que ceux qui en sont revenus donnent des versions convergentes de ce qui leur est arrivé. Beaucoup, par exemple, quittent leur corps et commencent par planer juste au-dessus de leur lit ou du lieu de l'accident dont ils ont été victimes. Ils assistent fréquemment aux tentatives de réanimation et surprennent des conversations précises dont les détails sont ensuite vérifiables.

Certains se promènent dans l'hôpital pendant un certain temps avant de se demander : «Et maintenant, que dois-je faire?» Cette question provoque une sensation de mouvement, le sujet entre dans un tunnel de lumière, où il est aussitôt aspiré. D'autres se retrouvent tout de suite dans le tunnel, sans passer par une période d'observation transitoire.

Le tunnel conduit parfois à une aire d'attente ou de repos, baignant dans une lumière chaude et blanche. La personne nage dans une immense sensation de paix et d'amour. Elle rencontre souvent des parents ou amis défunts, qui lui expliquent la situation ; en général, elle a l'impression d'être revenue chez elle et résiste à l'idée de retourner sur le plan terrestre.

Puis elle assiste à sa Revue de Vie. On lui donne parfois le choix entre rester ou repartir. Ou bien on lui dit qu'elle doit absolument retourner sur Terre et on lui explique pourquoi. Dans un moment de lucidité ou d'illumination, les sujets comprennent presque toujours ce qu'il leur reste à accomplir sur Terre.

Leur existence est profondément bouleversée par cette expérience. La plupart se tournent vers des vies inspirées, de don et d'amour[3].

LA REVUE DE VIE

La Revue de Vie constitue l'un des aspects les plus fascinants de la NDE. Les sujets racontent en général qu'ils ont vu leur existence tout entière défiler devant leurs yeux, moins comme un film que comme une représentation holographique. Ils en revoient tous les détails et examinent leur vie d'un œil critique. Leur conscience semble s'élargir et s'unir avec une intelligence divine plus vaste.

Ceux qui ont vécu des NDE assurent que leur lucidité supérieure au moment de la Revue de Vie leur a permis de comprendre leurs décisions erronées, et de voir comment ils auraient pu mieux faire face à certaines situations. Ce bilan est à la fois extrêmement douloureux ou gai, selon la scène visionnée. Quand ils revoient un incident où ils ont blessé psychologiquement quelqu'un, ils ressentent la douleur de cette personne comme s'ils étaient littéralement à sa place.

Ils perçoivent tout autant la joie et l'amour qu'ils ont suscités. Du fait de cette empathie intense, la plupart de ceux qui sont passés par une telle expérience reviennent à la vie avec la ferme détermination de ne pas commettre les mêmes erreurs et de multiplier les occasions de venir en aide aux autres. Chaque jugement sur un individu, chaque interaction avec un ami ou un enfant, chaque pensée émise prend un sens renouvelé, car la personne sait qu'elle revivra un jour chacun de ces instants, lors de sa prochaine Revue de Vie.

À un certain niveau, nous avons toujours su ce qu'il en était. Nous avons tous entendu quelqu'un qui avait frôlé la mort affirmer : « Ma vie tout entière a défilé devant moi. » Une bonne partie de la littérature et des textes religieux consacrés au jugement dernier mentionnent eux aussi une espèce de Revue de Vie. Ce sont les détails de cette expérience qui parviennent maintenant à notre conscience. Quand nous mourons, nous sommes jugés non par un dieu vengeur, mais par une conscience divine dont nous sommes partie intégrante.

Grâce à ces informations, nous sommes en mesure de nous apaiser et de devenir plus conscients de l'effet de nos actions. Nous comprenons mieux les raisons d'élever consciemment les autres, sans cesse. Notre jugement est faillible, mais nous pouvons désormais faire des pauses de temps à autre pour examiner nos actes et en quelque sorte effectuer à l'avance notre Revue de Vie. Nous retrouvons ainsi le vrai sens du repentir.

LE PROBLÈME DU MAL

Que penser du démon et de la conspiration des anges déchus, qu'évoquent tant de traditions religieuses ? Aucune des recherches sur les NDE n'a trouvé la moindre trace de ces idées ridicules.

Les NDE confirment qu'il n'existe qu'une seule force divine dans l'univers, et qu'elle est positive. Le problème du mal concerne exclusivement l'ego humain et la peur, qui nous éloignent de cette force créatrice. Quand nous sommes connectés avec cette divinité, ici ou dans l'au-delà, notre assurance nous vient de l'intérieur. Quand nous sommes coupés de la source divine, nous cherchons une source de sécurité en dehors de nous-mêmes, sous la forme d'une gratification pour notre ego, par des mécanismes de domination permettant de dérober de l'énergie aux autres.

Comme nous l'avons vu au chapitre 5, les êtres humains imaginent toutes sortes de moyens pour limiter leur expérience et tenir à distance leur angoisse. Tout le mal, depuis les manies sordides du satyre jusqu'aux paris désespérés du criminel en col blanc, n'est qu'un moyen de réprimer, même pour un instant, le désespoir. Le mal et l'enfer sont des états intérieurs.

La plupart des criminels violents ont grandi dans un environnement de privations caractérisé par le manque d'amour, les mauvais traitements et une grande peur. Un enfant dans une telle situation est souvent battu lorsqu'il pleure, parfois sexuellement torturé par ses parents ou ses frères et sœurs, terrorisé par de jeunes voisins plus âgés, et fondamentalement livré à lui-même. La crainte et la peur éprouvées dans ces conditions atteignent des niveaux inconcevables pour qui a été élevé dans un milieu familial plus sécurisant. Ces enfants doivent trouver un moyen de supporter leur situation, d'oublier la terreur et l'angoisse.

Dans ce genre de situation, l'enfant élabore un mécanisme, une espèce de manie ou d'obsession qu'il répète pour avoir le sentiment de maîtriser la situation. À un niveau d'angoisse superficielle, cette activité peut se réduire à une simple bravade de crocodile. Aux degrés les plus extrêmes, on trouve les tortures des tueurs en série ou la déshumanisation des terroristes. Ce genre de conduite représente un mécanisme de défense contre l'épouvante résultant d'une déconnexion spirituelle[4].

LA NATURE DE L'ENFER

Les dispositifs illusoires destinés à parer l'angoisse finissent toujours par s'effondrer. Ils atténuent le symptôme (l'angoisse) plutôt que de s'attaquer à la véritable maladie : la peur et l'insécurité. Ils sont donc, à terme, condamnés à l'échec. La bravade du crocodile, qui joue au dur, peut impressionner quelques instants les visiteurs d'un zoo mais, tôt ou tard, les paniques de l'enfance et la terreur de la solitude submergent la conscience. Comme un drogué qui augmente sa dose constamment, le crocodile doit intensifier ses gesticulations, son attitude agressive et son arrogance, pour tenir à distance l'angoisse. Mais cette façon de réagir le met dans des situations de plus en plus dangereuses et sa peur s'aggrave sans cesse.

Ce scénario peut être également suivi par le criminel en col blanc, dont les illusions finissent par le rattraper, ou par toute personne qui n'arrive plus à contrôler son rapport avec la drogue, les médicaments, son travail, le shopping, son alimentation, le sport ou le sexe. Quelle que soit la béquille ou la conduite obsessionnelle utilisée, elle ne s'attaque jamais à la cause principale et est donc vouée à l'échec. L'angoisse revient sournoisement et nous sommes à nouveau entraînés dans une fuite incessante, dans la déconnexion. C'est ça l'enfer sur terre — et d'après les informations fournies par ceux qui ont vécu des NDE ou qui ont analysé les expériences de sortie du corps, c'est aussi à cela que ressemble l'enfer dans l'Après-Vie.

Robert Monroe a rapporté que, durant ses voyages dans cette dimension, il avait régulièrement vu des groupes d'âmes se passionner pour des fantasmes sexuels délirants pour lutter — en vain — contre leur désespoir[5]. Ruth Montgomery, dans ses descriptions de l'Après-Vie dictées par Arthur Ford au cours d'un processus d'écriture automatique, remarque que certaines âmes ne pouvaient découvrir le Ciel après la mort, parce qu'elles étaient prisonnières des illusions qu'elles avaient créées durant leur vie sur Terre[6].

De tels récits laissent à penser que certains êtres dans l'Après-Vie s'efforcent d'intervenir auprès de ces âmes. Ils agissent probablement en utilisant le même procédé d'élévation d'autrui que nous connaissons : la concentration sur le moi supérieur de l'âme et la projection d'énergie vers celle-ci jusqu'à ce qu'elle s'éveille et commence à s'ouvrir au divin qui est en elle — seule façon efficace d'en finir avec une activité obsessionnelle.

Ces témoignages ne font état d'aucune conspiration diabolique. Les anges déchus des Écritures ne sont qu'un symbole. Comme l'ont suggéré certains penseurs, de Carl Jung à Joseph Campbell, la perte de la grâce originelle et l'histoire de la chute de Satan et de son bannissement en enfer ne sont que des métaphores désignant les traquenards inhérents à l'évolution humaine. Dans son voyage, sa longue évolution vers la spiritualité, l'humanité doit émerger de l'inconscience en renforçant l'ego et en devenant consciente d'elle-même. Mais pour aller plus loin, l'ego doit passer au second plan, laisser notre moi supérieur prendre les commandes et cesser de résister à l'expérience transcendantale.

Nous avons tous assisté aux révoltes d'un adolescent qui essaie d'être quelqu'un et se confectionne une identité originale, distincte de celle de ses parents. De la même façon, pour développer l'indépendance de notre ego, nous nous sommes écartés de notre source d'intuition et avons essayé de gérer notre vie nous-mêmes. La culture occidentale, dans son ensemble, est en état de rébellion depuis quatre ou cinq siècles, parce que, mue par la peur, elle a décidé de nier l'aspect essentiel de notre être.

En ce sens, le symbole d'un diable aux aguets, prêt à brouiller la piste de notre vie si nous nous écartons trop de Dieu, est justifié. C'est très exactement ce dont l'ego, détaché du divin intérieur, est capable.

LA VISION DE NAISSANCE

Lors d'une NDE, il arrive parfois que l'on découvre sa Vision de Naissance, vision qui améliore considérablement notre compréhension de la vie terrestre car elle offre un panorama optimal de notre existence[7]. Elle indique à celui qui fait une

NDE les raisons de son retour, en lui faisant comprendre qu'il n'a pas terminé sa mission sur Terre.

Le fait de savoir que cette vision existe renforce l'idée que chacun d'entre nous peut découvrir sa véritable destinée, même si nous n'avons pas vécu personnellement une NDE. Nous avons déjà vu comment la compréhension de notre passé et de tout ce qui nous est arrivé peut nous aider à percevoir la vérité que nous sommes destinés à annoncer au monde. Mais notre conscience peut aussi accéder à une prescience de l'ensemble de notre destin, une image intégrale de ce que nous pouvons réaliser sur cette Terre en diffusant notre vérité et en suivant notre direction synchronistique. Il en résulte une conception nouvelle, plus claire, de la personne que nous pouvons devenir.

La plupart des Visions de Naissance survenant en dehors des NDE semblent être la conséquence d'une pratique spirituelle, prière, méditation ou toute autre activité qui élargit notre ouverture intérieure au divin. Vous êtes, par exemple, en train de vous promener dans un lieu d'une rare beauté et vous décidez d'entrer en méditation. Votre ego en est profondément apaisé. Puis vous projetez votre intention de devenir plus lucide et de vous concentrer sur votre question intérieure : « Et maintenant, que vais-je faire ? »

En un tel moment, vous ressentez un afflux d'inspiration et entrevoyez une image, comme dans un rêve éveillé, où vous vous voyez faire quelque chose. Il s'agit souvent d'une réponse intuitive à votre principal problème à ce moment-là. Mais parfois, comme nous le verrons dans le chapitre final, le champ s'élargit et prolonge le présent dans l'avenir le plus lointain — pour révéler dans ses moindres détails la raison de notre présence et notre tâche sur Terre. Cela correspondra à la vérité générale que la vie, comme vous le savez, vous a préparé à diffuser, et ira plus loin pour révéler l'évolution optimale de cette vérité vers votre mission.

Imaginons par exemple une jeune femme sachant déjà qu'elle veut passer d'un métier du marketing à un emploi dans l'enseignement, parce que son passé l'a préparée à aider les enfants à aimer la lecture. Elle pourrait élargir le sens de sa vérité en assistant à une Vision de Naissance plus complète — qui lui révèle une mission plus vaste, comme de créer un modèle d'enseignement utilisable dans n'importe quelle classe. Cette révélation aurait l'allure d'une image plus globale de sa mission si elle garde la foi en son objectif et la mène jusqu'au bout.

Une telle vision de l'avenir serait accompagnée de sentiments d'inspiration et de fierté. Elle se dirait, par exemple : « Ah ! si seulement je pouvais faire cela, je rayonnerais de vie, je serais comblée. » Expérimentée de cette façon, la Vision de Naissance demeure au fond de notre esprit comme une image du possible qui aide à donner un sens à notre question existentielle actuelle et donne de la profondeur aux coïncidences quotidiennes. Nous avons le sentiment non seulement d'avoir une vérité à transmettre mais aussi de ce qui peut arriver si nous la communiquons de la façon la plus riche.

J'ai personnellement vécu une telle vision en 1973, dans les Great Smoky Mountains du Tennessee. C'est là que j'ai eu un aperçu de tout ce qui devait arriver avec *La Prophétie des Andes* vingt ans plus tard. Le travail qui menait à l'écriture d'un livre, l'impact qu'allait avoir ma description de la nouvelle conscience spirituelle, les efforts ultérieurs pour préserver des régions sauvages, etc. J'ai d'abord cru qu'il s'agissait d'une fantaisie de l'esprit, mais le souvenir de cette vision ne m'a jamais quitté… et quand elle a commencé à se vérifier, j'ai compris que j'avais eu une vraie Vision de Naissance.

NOUS SOMMES ICI EN MISSION

Nous pouvons maintenant percevoir toute la portée des informations sur l'Après-Vie pour notre séjour sur Terre. La nouvelle conscience spirituelle est fondée sur la perception de la synchronicité, chaque niveau de cette conscience nous apporte une compréhension accrue de la synchronicité et de la façon de l'appliquer chaque jour. L'Après-Vie nous offre la perspective la plus élevée sur ce processus : nous sommes ici en mission, et les coïncidences que nous pouvons vivre nous guident vers l'accomplissement de cette mission.

Cela éclaire toute l'importance d'une connexion intérieure, en dépassant nos techniques de manipulation et en trouvant la vérité que nous avons à transmettre. Nous découvrons l'être authentique que nous sommes vraiment. Notre vie sur Terre se résume effectivement à un seul objectif : devenir plus conscients de notre nature spirituelle.

Lorsque nous aurons trouvé notre vérité, celle-ci nous guidera vers une profession adéquate et une niche dans la société. Ce processus sera complété par une Vision de Naissance qui nous indiquera ce que notre travail pourra en fin de compte accomplir.

LA RÉALITÉ DE LA RÉINCARNATION

Même si les films, les livres et les recherches sur la réincarnation sont devenus plus courants dans la culture contemporaine, beaucoup d'entre nous résistent à cette idée. De nombreuses religions enseignent que nous n'avons qu'une seule vie et que nous devrons ensuite affronter un jugement et l'éternité. Mais cet enseignement ne cadre pas avec les recherches et les expériences modernes.

Trop d'enfants sont en mesure de se souvenir non pas d'images vagues mais de noms, de villes et de détails d'une vie antérieure[8]. Il suffit de parcourir la littérature spécialisée pour trouver des preuves écrasantes que nous vivons plus d'une vie. Le Dr Brian Weiss, ancien président du département de psychiatrie du Mount Sinai Medical Center, est le premier d'une liste impressionnante de médecins et d'auteurs qui ont constaté l'existence de vies antérieures au cours de leurs thérapies. Comme le montre Weiss dans son ouvrage *Many Lives*, *Many Masters*, certaines phobies, crises d'angoisse, etc., tirent leur origine non pas de la petite enfance, mais — plus en amont — de vies précédentes. Le Dr Weiss considère, en fait, que presque chacun de nous peut se souvenir de ses vies passées, grâce à une méditation orientée[9].

Dans quelle mesure cette connaissance de la réincarnation contribue-t-elle à accroître notre conscience ? Nous savons que non seulement nous effectuons un voyage synchronistique et que nous trouverons une position appropriée dans la société, mais que nous sommes venus pour remplir une mission plus vaste. Eh bien, si nous sommes en mission, c'est que tout le monde l'est.

Cela jette une lumière nouvelle sur les rencontres synchronistiques. Il nous faut supposer que nous nous sommes incarnés pour entrer intentionnellement en contact avec les autres au moment opportun. Mais que se passe-t-il si la rencontre se déroule mal ? Combien de fois avons-nous rencontré quelqu'un que nous n'avions jamais vu, dont nous n'avions jamais entendu parler, et que nous avons détesté au premier coup d'œil ? Sans raison justifiée. Et qu'arrive-t-il si nous ne pouvons dépasser cette réaction et ne parvenons donc ni à élever spirituellement cette personne, ni même à tenter d'entrer en communication avec elle ?

Devrons-nous revoir tout cela dans notre Revue de Vie, pour comprendre que notre mission était d'orienter cet individu dans une nouvelle direction ? Devrons-nous admettre que nous avons raté cette occasion à cause d'une vieille rancœur issue d'une vie antérieure ? Ces aversions sont fréquentes, et il nous faut les dépasser aussi rapidement que possible.

SURMONTER LES PROBLÈMES LÉGUÉS PAR NOS VIES ANTÉRIEURES

Votre connaissance des mécanismes de domination vous sera ici aussi fort utile. Dévoilez vos sentiments et dites à la personne ce que vous éprouvez — en agissant avec tact, sans oublier que vous pouvez vous tromper. La même méthode peut vous servir quand vous éprouvez une soudaine hostilité envers quelqu'un. Tentez d'avoir une discussion sérieuse en expliquant que vous avez une réaction inhabituelle envers telle personne, et que vous voudriez en rechercher la provenance.

Souvenez-vous qu'il vous faut surmonter l'inertie de la vieille vision matérialiste du monde, qui considère ces discussions comme fâcheuses, embarrassantes, ou même stupides. Autre solution : prenez rendez-vous avec cette personne pour aborder le sujet à un autre moment. De toute façon, elle peut tout à fait refuser une telle conversation ou, se sentant menacée par cette démarche, y couper court.

Mais pour maintenir une conscience plus élevée, et vu nos connaissances actuelles, nous devons continuer à chercher une solution. Plus le temps passe, plus ce genre d'entretien deviendra facile, puisque le nombre d'individus ayant conscience du processus augmente. Dans le meilleur des cas, lorsque deux personnes explorent de telles réactions, des images significatives d'une vie passée commune refont surface ; ces impressions nécessairement vagues feront parfois naître un sentiment de pardon et permettront de mieux se concentrer sur les problèmes à traiter.

D'après le Dr Weiss, on retrouve la mémoire des vies antérieures de la même façon que les autres informations transcendantales : en se retirant en soi-même. Entrez en méditation, priez, et formulez l'intention de découvrir la source de vos sentiments. Une telle méditation est possible en solitaire, mais l'énergie accrue d'un groupe — avec les parties en cause, un conseiller expérimenté, ou les membres d'un groupe d'entraide — augmente à mon avis les chances de réussite.

Demandez d'abord au groupe d'affirmer sa foi en la possibilité de remémoration d'une vie antérieure. Les participants entreront ensuite dans une méditation silencieuse, puis chacun évoquera les images et souvenirs qui lui sont apparus.

Attention : chaque intervenant doit exprimer avec la plus grande honnêteté ce qu'il a ressenti, et s'abstenir de confirmer de façon indue les images des autres.

Dans la plupart des cas, il se dégagera un assentiment sur ce qui a relié dans une vie antérieure les personnes concernées. Si l'un des participants, ou les deux, s'est senti d'une manière ou d'une autre blessé au cours d'une vie passée, seuls les excuses et le pardon permettront de dépasser ces impressions. Ce n'est qu'ensuite que les deux personnes réussiront à comprendre pourquoi leurs chemins se sont à nouveau croisés dans le présent. S'agit-il simplement d'en finir avec ces vieux sentiments ? Ou d'apporter un message en ce temps et en ce lieu ? Ou bien se sont-elles rencontrées pour entrer dans une relation plus durable de collaboration, dans une mission commune ?

À NOUVEAU ENSEMBLE

Et que penser de ces impressions inexplicablement favorables que nous ressentons envers certaines personnes ? De l'amour que nous éprouvons rapidement lorsque nous rencontrons un(e) inconnu(e) ou de l'impression que nous l'avons déjà rencontré(e) ?

Cela peut survenir en n'importe quelle circonstance. Quelqu'un traverse notre champ de vision, et nous avons l'impression de l'avoir déjà vu, mais sans arriver à nous souvenir ni où ni quand. Quelque chose dans l'expression de son visage, dans sa présence, nous convient parfaitement. Si la conversation s'engage, nous réalisons souvent que nous sommes sur la même longueur d'onde.

Les mots nous viennent facilement et la compréhension mutuelle est instantanée.

Apprenez à exclure toute interprétation sexuelle dans ce genre de situation — surtout entre un homme et une femme. Recherchez la vraie raison de cette rencontre dans le royaume de la spiritualité pure. Élargissez votre conscience au-delà des illusions de la codépendance pour découvrir les messages synchronistiques qui concernent votre mission.

LES EFFETS DES INFORMATIONS
SUR L'APRÈS-VIE

Plus nous en savons sur l'Après-Vie, plus notre existence sur Terre en sera éclairée. Tout moment synchronistique, toute rencontre avec un autre être humain recèlent des implications qui vont très au-delà de l'ordinaire. Nous venons tous sur Terre avec une mission et, chaque fois que nous sommes amenés au bon endroit, que nous recevons la bonne information, que nous élevons quelqu'un au bon moment, l'instant semble prédestiné, parce qu'une partie de nous-mêmes se souvient que cet événement devait se produire.

Quand pouvons-nous rendre ces instants conscients ? Dès maintenant. Parce qu'à cette étape de notre voyage, nous sommes sur le point de nous souvenir de tout : qui nous sommes en tant qu'êtres spirituels, comment nous en sommes arrivés là, quel est le but vers lequel nous nous dirigeons.

12

Visualiser la destinée humaine

Étant donné que les informations sur l'Après-Vie passent de plus en plus dans la conscience du public, notre compréhension de l'Histoire et de la destinée humaines va profondément changer. Si chacun d'entre nous s'est incarné pour effectuer une mission, cela signifie que tous ceux qui ont un jour vécu sur Terre sont venus en mission, et que tout ce qui est arrivé, arrive et arrivera contribue à un objectif spirituel.

Cette nouvelle conscience va façonner une nouvelle interprétation historique de ce qui est advenu dans notre dimension. Nous le percevons parce que, de fait, nos actes font écho à cette grande série d'événements.

Dès l'explosion inaugurale de l'univers, nous avons été partie prenante de ce qui était en cours. Présents dans les premières étoiles qui se sont condensées pour créer les éléments fondamentaux de l'énergie et les disperser à travers l'espace, nous avons uni notre intention à la volonté divine lorsque le soleil et les planètes ont donné naissance à notre système solaire, et créé un environnement idéal pour la vie sur terre.

Nous avons été les premiers acides aminés qui

ont évolué pour devenir des végétaux unicellulaires puis des animaux. Nous avons été les premiers végétaux qui ont libéré de l'oxygène dans l'atmosphère. Nous avons nagé dans les océans, sous forme d'organismes multicellulaires puis de poissons. C'est nous qui avons voulu franchir la limite aquatique. Nous avons exulté lorsque nous sommes devenus amphibiens et avons commencé à ramper sur la terre ferme. Nous avons été un élément de la conscience plus vaste qui est passée des reptiles aux mammifères et enfin à notre espèce.

L'aventure continue, nos âmes ont patiemment participé aux milliers de générations qui se sont écoulées avant que les hommes n'acquièrent les premiers souffles de la conscience d'eux-mêmes. Nous nous sommes peu à peu éveillés, en comprenant que nous vivions sur Terre et que nous finirions par mourir. À la différence des autres animaux, nous avons eu besoin de savoir pourquoi nous étions là. Quelle était notre raison d'exister?

UNE HISTOIRE SPIRITUELLE

L'évolution est entrée dans un nouveau cadre lorsque nous avons formulé cette interrogation pour la première fois : comment la réalité humaine progresse-t-elle vers ce que nous sommes et ce que nous devrions faire? L'humanité primitive a créé de riches mythologies pour expliquer les raisons de sa présence en ce monde. Mais manquant d'énergie, nous n'avons cessé de nous manipuler mutuellement et de nous dominer les uns les autres, en recourant à la violence.

On peut maintenant voir que ces attitudes destructrices avaient une fonction dans cette évolution : la dissémination de nouvelles idées. Les premiers hommes ont d'emblée éprouvé la pulsion de conquête et d'unification pour forcer autrui à adopter leur point de vue. Les plus forts, en l'emportant, ont gagné le respect et l'attention des autres. Au cours de ce processus de lente unification, les individus puissants et leurs partisans ont conquis des portions de territoire de plus en plus étendues et des populations de plus en plus nombreuses, pour leur imposer de nouvelles croyances — mais ils ont été conquis à leur tour et ont dû s'imprégner de nouvelles valeurs.

Vu les circonstances, et du point de vue de la perspective de l'Après-Vie, il n'y avait rien de mieux à faire. Nous sentons tous que nous sommes venus sur Terre à de nombreuses reprises, au long de cette évolution. Chaque fois, conformément à notre Vision de Naissance, notre intention a été de faire tout notre possible pour extirper l'humanité de la barbarie de la guerre et des conquêtes territoriales, et introduire une façon civilisée d'unifier et de percevoir la vérité.

Ces apports de vérité supérieure ont d'abord progressé très lentement, parce que, dans ces temps reculés, le fossé entre ce que nous savions de l'Après-Vie et ce que nous vivions sur Terre était très profond. À chaque nouvelle incarnation, nous nous sommes efforcés de dépasser les conventions des cultures dans lesquelles nous nous trouvions, œuvrant à la remémoration de la vérité que nous étions censés apporter au monde. Peu à peu, cependant, les efforts civilisateurs de groupes d'humains inspirés ont fini par laisser des traces. Au Moyen-Orient, des tribus juives ont inventé une riche mythologie fondée sur l'idée d'un seul Dieu, et cette croyance en un seul Créateur, en une source paternelle partagée entre tous, s'est peu à peu répandue dans la plus grande partie de l'hémisphère occidental.

En Orient, une reconnaissance analogue a commencé à se diffuser, affirmant que nous ne faisions tous qu'un avec l'intelligence absolue, c'est-à-dire Dieu. Cette idée a provoqué un saut dans l'unification. Aujourd'hui, au lieu de penser que nous sommes soutenus par un dieu local en concurrence avec les dieux de nos ennemis, l'idée que tous les êtres humains font essentiellement partie d'une même force créatrice commence à prévaloir.

RENDRE CONSCIENTE L'ÉVOLUTION

Vers l'an 600 avant Jésus-Christ, une autre grande vérité a été donnée au monde, en Grèce : au lieu d'utiliser la violence, nous pouvions nous associer de façon démocratique. Cette idée révolutionnaire s'est diffusée lentement dans l'ancienne Rome à travers l'action de centaines d'individus : faire progresser les affaires humaines et l'évolution non par la domination physique mais par un débat portant sur les mérites des différents points de vue exprimés. La réalité pouvait dès lors évoluer grâce à la progression et à l'amélioration des idées.

Au cours des siècles qui ont suivi, d'autres visionnaires, comme Lao-tseu, Bouddha et Jésus, ont commencé à clarifier la nature de notre source spirituelle commune. Jésus a annoncé que le royaume de Dieu n'était pas à l'extérieur mais à l'intérieur de nous. Et la société a plus ou moins assimilé cette idée, aussi bien en Orient à travers le bouddhisme et le taoïsme qu'en Occident, avec le christianisme.

Pendant ce temps, les groupes humains devenaient de plus en plus vastes, les mécanismes d'identification et d'allégeance passaient du niveau des petites hordes ou des villages à celui de régions entières, et enfin de nations précises dotées de frontières définies. À partir de la Renaissance, en Occident, des milliers d'individus ont redécouvert les valeurs démocratiques de l'Antiquité et ont défendu la dignité humaine et les droits de l'homme fondamentaux.

De nombreuses nations ont remplacé la monarchie de droit divin par la démocratie du peuple. Durant les révolutions de cette époque, les États-Unis se sont formés sur la base d'une idée visionnaire, mais encore partielle, celle d'un pays où les êtres humains seraient libres de réaliser leurs rêves les plus profonds.

Comme nous l'avons vu dans les chapitres précédents, la science s'est créée sur un principe idéaliste similaire lorsqu'elle fut chargée de se substituer aux superstitions fantaisistes de l'époque. Comme elle n'a pas réussi à clarifier la situation spirituelle de l'humanité, l'obsession de la sécurité extérieure, matérialiste, a prévalu.

Les cultures de l'Orient ont pendant ce temps continué à explorer le monde intérieur de l'expérience spirituelle et à rechercher la sécurité personnelle. La communication des idées s'est poursuivie, entraînant notre évolution sociale de plus en plus loin.

Au début du XXe siècle, de nombreux individus, qui suivaient inconsciemment leur Vision de Naissance, se sont éveillés à de nouvelles vérités. La description mécanique de l'univers par Newton a cédé devant la perspective d'Einstein et des physiciens de la mécanique quantique. D'autres individus inspirés sont devenus sensibles aux aspects extrêmes de l'obsession économique : ils ont voulu briser les cartels et les monopoles aux États-Unis, créer des parcs nationaux et des forêts, résister à l'impérialisme, et commencer à petite échelle à protéger les diverses cultures humaines dans le monde entier.

Vers le milieu du XXe siècle, des millions de gens ont décidé que l'édification d'empires fondés sur la force devait cesser. Deux guerres mondiales, puis une longue guerre froide les en avaient persuadés. Pour finir, un consensus s'est mis en place pour protéger la souveraineté des peuples et de leurs frontières nationales. À travers le travail d'innombrables individus, l'idée d'une Organisation des Nations unies est devenue une réalité, pour la première fois la conscience humaine a réussi à inclure tous les peuples de la Terre.

Au cours des dernières décennies, une nouvelle compréhension de l'univers humain a commencé à émerger. La nouvelle physique décrit notre monde en termes de dynamique d'énergie et d'interconnexions mystérieuses. Des scientifiques explorent le vaste éventail du potentiel humain, notamment le mystère de la synchronicité, la profondeur de notre intuition et les pouvoirs de notre intention.

Nous découvrons désormais l'image complète de l'évolution grâce aux vérités que des millions d'hommes ont peu à peu apportées au monde. En suivant inconsciemment sa Vision de Naissance, chaque génération a contribué à transformer la réalité humaine dans un but fixé à l'avance, et nous a rapprochés de la conscience spirituelle qui existe déjà dans l'Après-Vie. Nous comprenons peu à peu que nous sommes des êtres spirituels qui font lentement évoluer la réalité spirituelle sur cette planète.

FAIRE FACE À LA POLARISATION

Ce n'est pas parce que nous créons une culture spirituelle que le travail est terminé. D'une certaine façon, nous sommes toujours dans cette zone grise où une vision du monde a perdu sa capacité à nous inspirer complètement, mais où le nouveau paradigme n'a pas encore été pleinement accepté. De fait, les dernières décennies ont connu une polarisation extrême entre les forces favorables à ce changement et celles qui y résistent. En Amérique, le conflit s'intensifie, les deux camps sentant que son issue est essentielle pour l'avenir.

Dans ce que certains appellent une guerre culturelle, l'opinion publique a été ballottée d'un extrême à l'autre. Dans les années 1980, ceux qui soutenaient la vieille vision du monde semblaient avoir remporté la victoire, et affirmaient que nous devions revenir à la réalité et aux valeurs d'autrefois : le travail, la famille et le progrès économique. Ils pensaient que les problèmes de notre culture provenaient directement de l'influence du Mouvement du potentiel humain, dont les idées radicales avaient provoqué l'accroissement de l'intervention gouvernementale, les déficits budgétaires, la disparition des distinctions entre les rôles masculin et féminin, le laxisme envers la criminalité, et une tendance générale à rendre la société responsable des problèmes de chacun.

D'autres ripostèrent que le déficit fédéral dispa

raîtrait dès qu'on cesserait de gâcher des milliards de dollars avec les subventions aux grandes entreprises. Ils publièrent une liste de ces abus : les subventions fédérales aux marchands d'armes pour leur permettre d'écouler leurs produits à l'étranger se montaient à sept milliards et demi de dollars ; un milliard allait à des grandes sociétés comme Continental Grain and Cargill, Inc., pour affréter gratuitement des cargaisons de blé, de maïs et d'autres marchandises ; sept cents millions de dollars servaient à financer des produits soldés en dessous de leur coût et à entretenir des routes pour les compagnies forestières chargées de l'abattage des arbres, etc. Cette liste est interminable[1].

Les partisans du Mouvement du potentiel humain assuraient de leur côté que les problèmes des États-Unis provenaient de la vieille obsession économiste : pollution incontrôlée, abandon de l'éthique des affaires, corruption du gouvernement par les grandes entreprises, échec de l'éducation d'une partie de la population, et engagement trop limité face à la pauvreté et à la criminalité récurrentes.

Lors du dernier mouvement de balancier, qui envoya un Congrès républicain à Washington en 1994, l'opinion publique se rallia à l'argument conservateur sur la trop grande importance des budgets fédéraux, l'immoralité du gouvernement et l'extension de la criminalité. Il s'agissait aussi de réduire l'importance de l'État et de remettre l'accent sur l'intégrité personnelle.

Puis les Américains commencèrent à voir les incohérences de la majorité républicaine, qui avait promis des réformes. Ce parti retourna à ses vieilles habitudes — protéger les subventions pour les grosses compagnies au lieu de faire des coupes équitables dans le budget. Un républicain du

Texas, ancien spécialiste de la désinfection, proposa même d'abroger certains paragraphes de la loi sur la propreté des eaux, plutôt que de donner la priorité à la protection de l'environnement. Cela se produisit au moment où l'opinion publique découvrait la pollution croissante des rivières et des océans. Pour couronner le tout, une clause de sauvegarde fut adjointe à une loi assez populaire, et autorisa les grandes entreprises d'abattage à couper des arbres plusieurs fois centenaires dans nos forêts nationales.

Ces abus provoquèrent un retour de balancier, l'opinion se sentant de plus en plus frustrée et cynique vis-à-vis de la politique. De nombreuses personnes prises dans le *no man's land* séparant l'ancienne Vision du Monde de la nouvelle sont désorientées, déçues, et se laissent facilement aller à des invectives désespérées et irresponsables. La violence dans la rue et dans les familles explose jour après jour. Les terroristes et les extrémistes antigouvernementaux projettent des guerres délirantes.

Il s'agit, en un sens, de l'inévitable nuit qui précède l'aube. Mais, du point de vue de la nouvelle conscience, notre direction est clairement définie.

PERCEVOIR LA VISION DU MONDE

Exactement de la même façon que nous pouvons entrer en nous-mêmes et nous remémorer notre Vision de Naissance, nous avons la possibilité de retourner en ce lieu de sagesse et de nous remémorer l'intention plus vaste qui a impulsé l'histoire de l'humanité. Par la prière, la méditation, ou les promenades dans un site préservé et sacré qu nous communiquera de l'énergie, nous sommes en mesure de revenir à la Vision du Monde partagée, à une image de l'humanité que nous nous efforçons de créer.

Nous avons toujours su que ce moment viendrait : le temps où nous découvririons tous le but de notre évolution et travaillerions ensemble, en toute lucidité, pour y parvenir. Un grand mouvement d'opinion regroupera les individus qui réussissent à voir un avenir positif.

Bien plus, nous connaissons les premières mesures à prendre — pour résoudre la polarisation des idées qui bloque notre évolution permanente — et les moyens d'accomplir cette tâche. Si certains craignent la construction d'une culture spirituelle sur terre et s'y opposent, la plupart résistent parce qu'ils ont l'intuition que de nombreuses valeurs importantes de l'ancienne vision du monde disparaîtraient au cours d'un tel bouleversement.

Nos efforts pour libérer le potentiel humain leur paraissent accorder trop de pouvoir aux États centralisés. Nous serions en train de perdre les valeurs essentielles de l'initiative personnelle, de l'autonomie et de la responsabilité. Force nous est d'admettre qu'ils expriment la vérité de leur Vision de Naissance quand ils formulent cette inquiétude. Pour résoudre la polarisation, commençons par intégrer les meilleures idées des deux camps.

C'est possible dans la mesure où la nouvelle conscience commence à ébranler les forces politiques des deux côtés. Les cercles de réflexion, les médias et les politiciens eux-mêmes adopteront une perspective plus élevée sur ces questions. Par exemple, intéressons-nous au budget de l'État. Cet enjeu ne concerne pas seulement les déficits, mais aussi les appropriations frauduleuses par la corruption et l'évasion fiscale qui profite aux intérêts privés, aux dépens du bien public.

Ces problèmes se résoudront très rapidement si tous les politiciens s'élèvent à la hauteur de la situation et se dissocient des groupes d'intérêts qui s'attribuent des avantages indus. Il suffirait qu'un groupe d'hommes d'État jouissant d'un certain prestige, éventuellement à la retraite, tienne des conférences de presse hebdomadaires — en communiquant les noms, en dénonçant les intérêts privés qui sont derrière certaines législations — pour influencer l'opinion publique. Les républicains renonceront à défendre les privilèges des grosses entreprises et de leurs comités de direction. Les démocrates effectueront des coupes dans les budgets sociaux, y compris les pensions pour les retraités riches, et ne maintiendront que celles qui sont véritablement justes.

Mais pour le reste de la société? La synchronicité a placé des millions d'individus inspirés par la nouvelle conscience dans la position idéale pour accomplir leur mission, et nous disposons maintenant d'une vision plus large de ce que nous souhaitons. Les héros sont tous à leur poste et nous sommes ces héros. Nous allons analyser notre métier, notre entreprise, notre travail, et découvrir qu'ils ne fonctionnent pas comme ils devraient.

Ou alors nous prendrons en considération un problème social et en dénoncerons l'injustice, incitant quelqu'un à agir. À cet instant, nous accomplirons ce que nous voulions voir se produire, ce que notre Vision du Monde a dévoilé. Dans tous les cas, c'est nous qui interviendrons.

Et parce que nous comprenons la dynamique de la compétition pour l'énergie, ces interventions susciteront moins d'hostilité, et une coopération plus inspirée. Quelquefois, de façon tout à fait inattendue, nous trouverons d'autres gens qui ne sont là que pour nous venir en aide. Et nous nous souviendrons même que, avant de naître, nous étions convenus de nous retrouver en ce lieu pour modifier une situation ou une institution données.

Nous pouvons ainsi tous nous souvenir d'une façon plus détaillée que nous avions prévu d'être en ce lieu, à ce moment de l'Histoire, pour constituer une grande vague d'action inspirée qui pourrait balayer la planète et régler tous les problèmes du monde.

VAINCRE LA PAUVRETÉ
ET LA FAIM DANS LE MONDE

Notre intervention sur la pauvreté et la faim progressera en intégrant deux vérités importantes. Les partisans du vieux paradigme soutiennent depuis longtemps que ces problèmes ne peuvent être résolus par des bureaucrates dépourvus d'inspiration, qui ne s'intéressent qu'aux choses de ce monde, se rabattant sur des formules abstraites. Ce genre d'intervention n'aboutirait qu'à une dépendance croissante des pauvres vis-à-vis des aumônes de l'État. Cette façon de voir a trop souvent servi aux adeptes de l'ancien paradigme comme excuse pour ne rien faire.

Ils avaient raison de mettre l'accent sur la responsabilité personnelle, mais les partisans du Mouvement du potentiel humain ont également une intuition juste lorsqu'ils affirment qu'il existe une solution. Notre vision spirituelle nous révèle maintenant ce que nous pouvons faire.

La clé pour résoudre le cercle vicieux de la pauvreté dans les familles, c'est d'intervenir individuellement. Les programmes publics d'assistance ne seront jamais que des filets de sécurité. Des centaines de milliers d'entre nous vont se retrouver en position d'intervenir vis-à-vis d'une famille prise dans une passe difficile ou plongée dans la pauvreté. Les organisations de bénévoles, les groupes qui luttent contre la faim dans le monde verront leurs effectifs grossir, mais les actions désintéressées les plus nombreuses viendront de l'homme de la rue qui sympathisera avec un enfant ou communiquera son inspiration à une famille. Cette vérité émerge aujourd'hui dans les consciences. Dernièrement, le général Colin Powell et deux anciens présidents américains ont souligné l'importance du bénévolat, et ce n'est qu'un début [2].

Partout dans le monde, la pauvreté se nourrit de la peur, du manque d'éducation et de l'incapacité à saisir les occasions qui se présentent. Les individus attentifs aux coïncidences significatives doivent intervenir personnellement auprès de ceux qui sont pris dans des mécanismes d'échec. Par la simple interaction, nous façonnerons une nouvelle façon de vivre que les familles pauvres pourront appliquer à leur situation.

Souvenez-vous, dans cet univers où tout est connecté, nous avons la possibilité de partager nos idées. Notre conscience nouvelle se transmet littéralement par la contagion. La découverte de la synchronicité, la connexion avec l'énergie divine, le dépassement des schémas de comportement répétitifs et l'affranchissement pour réaliser son propre voyage miraculeux dans l'avenir sont à la portée de tout être humain, quelle que soit sa situation.

Ce problème est plus délicat, mais il se résoudra exactement de la même façon si nous intégrons les meilleurs apports des opinions opposées qui s'expriment sur ce sujet. Aux États-Unis, il y a quarante ans, les délits commis dans la rue ne rencontraient aucune tolérance. Même les sans domicile fixe étaient interpellés et mis en prison pour vagabondage, et la police jouissait d'un pouvoir presque absolu. L'action des défenseurs des droits de l'homme a réformé ce système pour l'harmoniser davantage avec la Constitution. Au cours des trente dernières années, on a beaucoup insisté sur les droits de l'accusé, les origines sociales de la délinquance et la nécessité d'une réhabilitation. Les partisans du vieux paradigme remarquent que cette orientation a conduit à discréditer les forces chargées d'appliquer la loi et donc à faire exploser la criminalité.

Nous voyons maintenant qu'ils ont en partie raison. L'accent mis sur le rôle social de l'État et de ses différentes bureaucraties a effectivement provoqué une perte des références, notamment lorsque les prisons surpeuplées et la compassion de certains juges ont multiplié les libérations rapides ou même favorisé un véritable laxisme. Cela revenait à envoyer à la rue le message suivant : le crime — en col blanc ou non — n'est pas grave, et peut même être excusé. Nous comprenons maintenant — comme le démontrent la sévérité et l'efficacité des méthodes employées dans nombre de grandes villes américaines — qu'une lutte sérieuse contre la criminalité doit être fondée sur un « amour sévère », n'excusant ni la violence ni le crime.

Mais la sévérité n'est pas efficace en elle-même. Les valeurs du Mouvement du potentiel humain doivent intervenir aussi. La plupart des programmes récents qui ont réussi associent une attitude plus ferme à une augmentation des effectifs locaux et des îlotiers : les policiers ont appris à connaître les familles et leurs problèmes, et donc pu prévenir une bonne partie des crimes ou des délits [3].

Les méthodes actuelles mises en place par les forces chargées du maintien de l'ordre ne sont qu'un commencement. Le problème doit être pris en charge par des individus engagés qui suivent leur propre synchronicité. L'îlotier ne peut tout faire. Quel que soit le crime, prémédité ou commis dans un accès de colère, quelqu'un savait ce qui allait se produire. Cette personne est la mieux placée pour agir. Il faut prendre soin de sa propre sécurité et avertir des professionnels quand la situation l'exige, mais quelques mots d'encouragement ou un bon conseil en temps utile peuvent empêcher une situation de dégénérer. Tout cela surviendra dans le flux de la synchronicité, et un nombre croissant d'individus répondront à l'appel.

PROTÉGER L'ENVIRONNEMENT

Nous résoudrons d'une façon similaire les problèmes de l'environnement. Des individus inspirés comprendront soudain qu'ils sont à la bonne place pour passer à l'action.

La pollution de l'air et de l'eau continue à s'aggraver, tandis que des tonnes de déchets toxiques sont répandues chaque année dans l'environnement. En outre, l'industrie ne cesse d'inventer de nouveaux produits et de les introduire dans la biosphère sans pratiquement le moindre contrôle, la plupart servant de pesticides et d'herbicides pour les aliments du monde entier[4].

Le risque est tel que l'American Medical Association a déconseillé, aux femmes enceintes et aux nourrissons, l'ingestion de légumes résultant des cultures intensives aux États-Unis[5]. Le Dr Andrew Weil, qui est rapidement devenu dans ce pays un porte-parole du monde de la santé, déconseille de manger les fruits de mer ou les poissons de l'océan, car leur chair contient des produits toxiques. Il recommande de n'acheter que de la nourriture biologique. Pour lui, de nombreux produits chimiques non testés peuvent devenir toxiques quand ils se combinent à d'autres et s'avérer plus dangereux qu'on ne l'imagine[6]. C'est la seule chose à faire dans un monde où le taux des cancers augmente inexplicablement.

La pollution de notre environnement, tout spécialement les décharges illégales et l'utilisation inconsidérée de produits insuffisamment testés, est toujours l'œuvre d'un petit nombre de responsables. Plus la nouvelle conscience spirituelle progressera dans la société, plus ces actes attireront des individus inspirés qui donneront l'alerte. Les dépôts illégaux de déchets toxiques ont par exemple lieu en certains points bien précis de la côte, dans les océans, ou dans nos rivières et nos égouts. Comme le nombre d'individus guidés par la synchronicité augmentera, les gens auront le souci de surveiller chaque mètre carré de la ligne côtière, chaque cours d'eau. Même si ces opérations se déroulent en pleine nuit, il y aura un témoin — qui aura suivi son intuition et sera prêt à tirer le signal d'alarme. Des légions de citoyens inspirés, armés de caméras vidéo, attireront l'attention de l'opinion publique sur ce type de pollution.

SAUVER LES FORÊTS

La déforestation est l'un des crimes les plus tragiques commis contre notre planète. Du simple point de vue de la défense de l'environnement, étant donné le rôle des forêts dans la production de l'oxygène de l'atmosphère, la situation est inquiétante. Mais d'autres dangers et d'autres gaspillages gigantesques découlent de cette destruction. Les êtres humains ne cessent d'émigrer vers les villes et les banlieues de béton, dépourvues de l'énergie magique des régions inhabitées. Aux États-Unis en particulier, les promoteurs et la corruption ne cessent de détruire les zones sauvages.

Peu de citoyens américains se rendent compte à quel point les compagnies forestières ou minières sont subventionnées par le contribuable pour piller les forêts de nos parcs nationaux. Le Service des Eaux et Forêts utilise les fonds publics pour faire construire, par de grandes compagnies multinationales, des routes qui violent les dernières zones intactes. Cette administration brade aussi le bois et le minerai récoltés sur les terres de l'État à des prix inférieurs à ceux du marché. Les compagnies d'exploitation forestière sont tristement célèbres pour leurs publicités sentimentales assurant qu'elles gèrent admirablement nos forêts et replantent plus d'arbres qu'elles n'en abattent. En fait, elles rasent de vénérables cathédrales forestières présentant une merveilleuse diversité d'essences, de faune et d'énergie, pour y substituer des rangées de pins stériles. Elles créent des exploitations forestières, pas des forêts. L'autre problème, c'est le nombre de grumes littéralement volées par les compagnies, qui coupent plus de bois qu'elles n'en payent et qui ne respectent même pas les prix initialement fixés[7]. Lorsqu'ils partent à la retraite, les administrateurs du Service des Eaux et Forêts sont souvent embauchés par les compagnies qu'ils surveillaient auparavant, ce qui favorise dans cette administration une attitude conciliante à leur égard.

Heureusement, nous sommes capables de déceler les niveaux de corruption gouvernementale qui perpétuent cette manne versée aux grandes entreprises. Et nous connaissons la solution : des citoyens concernés prendront la parole pour mettre fin à cette corruption et soutenir la législation et les associations en faveur d'une réforme. Quand suffisamment de gens sauront ce qui se passe, la corruption s'arrêtera très vite.

LES CONFLITS LOCAUX ET LE TERRORISME

Que dire du problème mondial des guerres régionales et du terrorisme ? Comme nous l'avons vu en Bosnie et en d'autres points chauds, les conflits durables sont motivés par la haine ethnique et religieuse — et ils sont toujours entretenus par des individus et des petits groupes qui sont personnellement aliénés et envahis par la peur. Dans ces situations, l'obsession du conflit leur sert à écarter l'angoisse de la mort et à donner un sens à leur vie. D'autres activités terroristes sont perpétrées dans le monde pour une raison analogue : elles résultent du fanatisme obsessionnel d'un groupe pour une cause.

Comme le montre notre Vision du Monde, notre nouvelle conscience spirituelle finira aussi par atteindre ces gens. Des individus inspirés rencontreront les sympathisants de ces groupes terroristes ou séparatistes violents et, peu à peu, le niveau plus élevé de l'énergie influencera des amis qui connaissent personnellement ceux qui sont au cœur de ces conflits. Ces amis découvriront que leur mission essentielle est d'aider les terroristes à s'éveiller et à arrêter une violence absurde.

TRANSFORMER LA CULTURE

Notre Vision du Monde ne se borne pas à intervenir dans les problèmes sociaux. Les individus vivant la nouvelle conscience agiront sur chaque aspect quotidien de la vie humaine. L'économie commencera à se transformer tandis que nous introduirons la dîme pour compléter les relations commerciales normales. L'activité économique progressera tandis que ceux qui possèdent de petites entreprises chercheront à atteindre un fonctionnement plus harmonieux.

Le capitalisme a démontré qu'il était le système économique humain le plus fonctionnel parce qu'il est orienté vers la satisfaction des besoins des hommes et qu'il permet un apport constant d'informations et de technologies nouvelles utilisées de façon de plus en plus productive. Ce système se transforme en réponse à notre conscience, bref, il évolue.

Le capitalisme a des effets néfastes lorsque les citoyens sont victimes d'une publicité exagérée

qui cherche à créer des besoins fondés sur l'insécurité, ou lorsque l'action du marché ne réussit
pas à protéger les consommateurs ou l'environnement. Ces problèmes se résoudront si les indus-
triels se préoccupent avant tout de la satisfaction
réelle des besoins, et non de la maximisation des
profits. Nous sommes en train d'évoluer vers cet
idéal. Du fait de la conscience croissante des chefs
d'entreprise, et du fait qu'ils sont à la place adéquate pour changer les choses, de plus en plus
d'entre nous commencent à considérer qu'ils doivent servir une vision plus élevée de l'avenir.

Cette évolution advient à un moment où l'éthique
des affaires semble au plus bas, et où les entreprises ne pensent qu'aux profits à court terme.
Néanmoins notre conscience accrue de cette véna-
lité augmente notre volonté de réforme. L'opinion
publique obligera le balancier de l'économie à aller
dans l'autre sens. Les sociétés qui tiennent compte
des conséquences de leurs activités sur l'environnement et satisfont les besoins du consommateur
gagneront les faveurs de la population. Progressivement, parce que nous sommes de plus en
plus conscients du but de l'évolution humaine, les
entreprises recommenceront à penser au long
terme.

L'obsolescence planifiée (la conception d'objets
destinés à tomber en panne au bout d'un certain
temps) sera remplacée par une nouvelle éthique :
on fabriquera des produits qui dureront des dizaines d'années, au coût le plus bas possible —
parce que, encore une fois, notre évolution nous
entraîne vers une économie où nos besoins matériels seront satisfaits par une production automa-
tisée et accessible gratuitement, tandis que notre

attention se portera sur l'échange d'informations spirituelles.

Bien entendu, comme nous l'avons déjà signalé, tout cela ne sera possible qu'à la condition de découvrir une source d'énergie bon marché et renouvelable, et des matériaux peu chers et durables. Selon de nombreux scientifiques, nous semblons nous rapprocher de la fusion froide. Bien que l'affrontement des paradigmes fasse encore rage autour de cette découverte (la fusion froide paraît fonctionner selon des modalités défiant nos anciennes théories physiques), notre intuition suggère que nous finirons par trouver une source d'énergie illimitée et renouvelable.

Certaines grandes entreprises, largement engagées dans la production de gaz et de pétrole, se battront évidemment contre ce développement. Mais l'influence des individus inspirés qui travailleront à faire triompher la vérité sera irrésistible. Les scientifiques découvriront que c'est exactement le domaine qui donne à leurs vies le plus de sens et un véritable objectif, et les journalistes conscients diffuseront l'information vers le public avant qu'elle ne soit escamotée.

LES EMPLOIS ET LES MÉTIERS

Notre Vision du Monde nous montre que tous les emplois, tous les métiers vont se transformer. Dans de nombreux domaines de l'activité sociale, des associations sont en train de se créer pour contrôler les normes éthiques. Dans les professions médicales, par exemple, des associations de praticiens travaillent à promouvoir des techniques préventives conçues pour éviter les maladies avant qu'elles ne se déclarent, au lieu de simplement réagir par des médicaments, voire des opérations chirurgicales superflues[8].

Des réformes similaires sont en cours dans le domaine juridique. Les avocats sont très bien placés pour aider à résoudre les conflits, pour apporter des solutions où les deux parties sont gagnantes. Malheureusement, l'opinion a fait l'expérience inverse avec la plupart des hommes de loi, en constatant qu'ils enveniment souvent la situation, poussent à intenter des procès inutiles et aggravent le plus possible les problèmes entre les parties — simplement pour augmenter leurs honoraires. Peu de professions sont plus mal vues aux États-Unis. Mais il existe aujourd'hui des associations de juristes qui se consacrent à réformer ces pratiques corrompues[9].

Tous les emplois, tous les métiers évolueront de cette façon. Les comptables deviendront des professeurs qui nous enseigneront à gérer l'argent de plus en plus efficacement. Les exploitations familiales et les entreprises agricoles pratiqueront l'agriculture biologique, qui préserve les sols, apporte des vitamines et des minéraux dans leurs produits et leur épargne la pollution des résidus chimiques de pesticides. Les patrons de restaurant serviront de la nourriture hautement énergétique, saine, dont la qualité nutritionnelle aura été préservée. Les journalistes s'écarteront du sensationnalisme et s'orienteront vers une vision plus spirituelle de la réalité. L'industrie du bâtiment et les promoteurs immobiliers épargneront les dernières zones naturelles et en restaureront d'autres. Nous voudrons tous vivre aussi près que possible d'une zone inhabitée hautement énergétique et disposer de plus en plus de parcs verdoyants et de lieux de promenades aux alentours des centres d'activité commerciale. Chaque institution finira par évoluer vers un rôle de service développé, assistant partout la nouvelle conscience spirituelle.

FUSIONNER LES DIMENSIONS

Notre Vision du Monde montre que les êtres humains vont continuer à augmenter leur niveau d'énergie personnelle. Nous serons guidés dans l'évolution de nos pratiques et de nos objectifs, et dans la transformation de nos rôles professionnels, par des moments synchronistiques qui nous feront passer à des niveaux d'énergie et d'inspiration de plus en plus élevés.

Plus l'énergie des gens croîtra, plus les niveaux d'énergie s'élèveront dans la culture, et plus la durée de la vie s'allongera. Tandis que nous stabiliserons le niveau de la population mondiale, des couples inspirés s'abstiendront d'engendrer des enfants pour adopter des orphelins venus du monde entier.

À la longue, nous aurons progressivement automatisé la production des biens nécessaires à notre subsistance, replanté les forêts épuisées, et rendu une grande partie de la terre à la vie sauvage. Nous vivrons dans des maisons qui peuvent durer indéfiniment, alimentées en énergie inépuisable. Notre mission sera alors de nous consacrer à la croissance spirituelle et à l'augmentation de notre énergie personnelle. Les moments synchronistiques susciteront encore plus d'inspiration quand nous nous retrouverons le long d'allées boisées ou sous un chêne multiséculaire au bord d'une rivière. Ces rendez-vous inconscients se produ ront exactement au moment voulu pour permettre à notre vie d'évoluer vers un niveau supérieur d'énergie.

Le contact avec les anges et les personnes aimées qui se trouvent déjà dans l'Après-Vie s'intensifiera, renforçant une tendance déjà en cours [10]. La mort sera reconnue comme un simple passage vers une dimension de plus en plus familière et non menaçante. Et finalement, les schémas des énergies quantiques de notre corps passeront à des niveaux supérieurs, nous permettant de prendre une forme purement spirituelle. Nous nous tiendrons là où nous serons, près du fleuve ou sous le vieux chêne, mais nous verrons ce que nos corps ont toujours été — de la lumière pure.

À ce point, enfin, illuminés par notre Vision du Monde, nous pourrons embrasser le but complet de notre voyage historique sur terre. Aspects de la conscience divine, nous sommes venus pour dévoiler lentement la conscience spirituelle de l'Après-Vie dans cette dimension. Du big bang aux atomes et molécules organiques complexes, des organismes monocellulaires végétaux et animaux aux êtres humains, nous n'avons cessé d'avancer. À travers le labeur de milliers de générations, et de millions d'individus suffisamment courageux pour communiquer leurs vérités inspirées, nous avons patiemment œuvré pour vivre une conscience que nous connaissions, mais que notre forme humaine devait redécouvrir.

Notre but principal a été d'élever notre niveau d'énergie au point où nous pourrons nous promener dans l'Après-Vie, ce qui fusionnera fondamentalement les deux dimensions. Nous constaterons que les anges et les autres âmes ont toujours été à, un peu au-delà de la limite de notre champ de vision, travaillant infatigablement pour nous aider à atteindre le niveau de conscience qui dissoudra ce voile.

CONSERVER LA VISION

Il suffit de jeter un regard autour de nous pour constater qu'en cette fin du XXᵉ siècle nous n'avons pas encore atteint notre but prédestiné. En fait, ce livre paraîtra à beaucoup de lecteurs trop idéaliste, voire fantaisiste. Les postulats et les craintes de la vieille vision matérialiste du monde se rappellent à nous, nous enfermant dans l'illusion que rien ne peut advenir d'aussi extraordinaire, et nous leurrant avec la fausse sécurité du scepticisme et de la dénégation.

Nous sommes devant un défi : nous devons mettre notre conscience en action, garder la foi. Toutes les avancées dans l'Histoire sont dues à des individus héroïques qui allaient de l'avant, avec parfois des chances infimes de réussite. Plus que jamais, nous nous trouvons à une croisée des chemins. Au cours des années à venir, la science va achever sa redéfinition de l'univers extérieur et notre relation avec lui, et cela confirmera l'incroyable étendue de nos capacités créatrices.

Nous sommes, par essence, des champs conscients d'intention, et ce que nous pensons savoir, ce en quoi nous croyons, rayonne vers l'extérieur, et touche chacun de l'intérieur. Cela atteint même le cosmos qui, dans une large mesure, nous offre l'avenir que nous voulons imaginer. Tandis que notre conscience de cette capacité grandit, notre puissance augmentera, nos décisions éthiques er sortiront renforcées.

2

Sur la terre du futur, nous pourrons manifester presque tout ce dont nos ego auront rêvé — c'est pourquoi il nous faut, plus que jamais, être prudents dans ce que nous souhaitons. Nous devons surveiller nos pensées parce que des images négatives peuvent faire autant de dégâts que des balles perdues. Heureusement que tous les grands mystiques de l'Histoire, ainsi que nos Écritures les plus sacrées, nous ont soigneusement mis en garde : il faut toujours nous référer à notre sagesse spirituelle intérieure pour reconnaître notre itinéraire dans la vie. Chacun de nous doit trouver sa propre confirmation d'une Vision du Monde qui ne découle pas de la peur ou de l'obsession de l'abondance, mais de notre mémoire la plus profonde.

Lorsque nous avons retrouvé cette vision, le travail passionnant commence. Non seulement elle nous centre et nous donne du courage pour accomplir nos missions individuelles, mais elle nous mène jusqu'au point le plus élevé de notre nouvelle conscience spirituelle, où elle peut servir de base à tout ce que nous entreprenons. Pour rester centré sur cette conscience, pour la vivre chaque jour, il suffit de maintenir cette vision intérieure.

Avant de sortir de chez nous, nous devons trouver cet espace, cette attitude spirituelle, nous permettant de vivre ce que nous savons. Le pouvoir de la foi est réel. Chaque pensée est une prière et si la vision de la nouvelle conscience spirituelle habite notre esprit chaque jour, chaque instant, tandis que nous interagissons avec le monde, la magie de la synchronicité s'accélérera pour tous et le destin dont nous avons l'intuition dans nos cœurs deviendra une réalité.

Notes

PRÉFACE

1. G. Celente, *Trends 2000*, Warner, New York, 1997.
2. N. Herbert, *Quantum Reality: Beyond the New Physics*, Anchor/Doubleday, New York, 1985.
3. F. Capra, *Turning Point*, Bantam, New York, 1987.
4. E. Becker, *The Denial of Death*, Free Press, New York, 1973.
5. W. James, *The Varieties of Religious Experience*, Random House, New York, 1994. C.G. Jung, *Modern Man in Search of a Soul*, Harcourt Brace, New York, 1955. H.D. Thoreau, *On Walden Pond*, Borders Press, New York, 1994. R.W. Emerson, *Complete Works*, Reprint Services, Irvine, Californie, 1994. A. Huxley, *Huxley and God*, HarperSanFrancisco, San Francisco, 1992. G. Leonard, *The Transformation*, J.P. Tarcher, Los Angeles, 1987. M. Murphy, *The Future of the Body*, Los Angeles, 1992. F. Capra, *Le Tao de la physique*, Tchou, Paris, 1979. M. Ferguson, *The Aquarian Conspiracy*, J.P. Tarcher/Putnam, New York, 1980. L. Dossey, *Recovering the Soul*, Bantam, New York, 1989.

CHAPITRE 1

1. J.C. Pearce, *Crack in the Cosmic Egg*, Pocket, New York, 1971.
2. N.O. Brown, *Life against Death*, Wesleyan University Press, Hanover, New Hampshire, 1985. A. Maslow, *Farther Reaches of Human Nature*, Viking/Penguin, 1993; *Religions, Values and Peak Experiences*, Viking/Penguin, New York, 1994.
3. K. Horney, *Neurosis and Human Growth*, W.W. Norton, New York, 1993.

CHAPITRE 2

1. I. Progoff, *Jung: Synchronicity and Human Destiny*, Julian Press, New York, 1993.
2. C.G. Jung, *Synchronicity*, Bollingen/Princeton University Press, New York, 1960.
3. F.D. Peat, *Synchronicity: The Bridge between Matter and Mind*, Bantam, New York, 1987.
4. M.A. Carskadon (sous la direction de), *Encyclopaedia of Sleep and Dreaming*, Macmillan, New York, 1993.
5. A. Robbins, *Interview with Deepak Chopra* (cassettes), Guthy-Renker, 1993.
6. E. Becker, *Escape from Evil*, Free Press, New York, 1985.

CHAPITRE 3

1. E. Becker, *The Structure of Evil*, George Braziller, New York, 1968.

2. T. Cahill, *How the Irish Saved Civilization*, Anchor/Doubleday, New York, 1995.
3. A. Koestler, *The Sleepwalkers*, Grosset and Dunlap, New York, 1963.
4. F. Capra, *Turning Point, op. cit.*
5. E. Becker, *The Denial of Death*, Free Press, New York, 1973.

CHAPITRE 4

1. T.S. Kuhn, *La Structure des révolutions scientifiques*, Paris, 1983.
2. F. Capra, *Le Tao de la physique, op. cit.*
3. M. Kaku et J. Trainen, *Beyond Einstein*, Bantam, New York, 1987.
4. N. Herbert, *Quantum Reality: Beyond the New Physics*, Anchor/Doubleday, New York, 1985.
5. M. Kaku, *Hyperspace*, Oxford University Press, New York, 1994.
6. N. Herbert, *op. cit.*
7. *Ibid.*
8. M. Kaku, *op. cit.*
9. R. Leakey, *The Origin of Humankind*, Basic Books/HarperCollins, New York, 1994.
10. M. Murphy, *The Future of the Body*, J.P. Tarcher, Los Angeles, 1992.
11. F. Goble, *The Third Force*, Thomas Jefferson Center, Pasadena, Californie, 1970.
12. I. Progoff, *Jung: Synchronicity and Human Destiny, op. cit.*
13. R.D. Laing, *The Divided Self*, Pantheon, New York, 1969.
14. E. Berne, *Games People Play* (*Des jeux et des hommes, psychologie des relations humaines,*

Stock, Paris, 1984), Ballantine, New York, 1985. T. Harris, *I'm OK/You're OK, op. cit.*

15. Teilhard de Chardin, *Le Phénomène humain, op. cit.* Sri Aurobindo, *Major Works of Sri Aurobindo*, Auromere, 1990.

16. *Biofeedback: A Source Guide* (collectif), Gordon Press, New York, 1991.

17. L. Dossey, *Ces mots qui guérissent : le pouvoir de la prière en complément de la médecine*, J.C. Lattès, Paris, 1995.

18. L. Dossey, *Recovering the Soul, op. cit.*

19. L. Dossey, *Ces mots qui guérissent, op. cit.*

20. L. Dossey, *Recovering the Soul, op. cit.*

21. *Ibid.*

22. L. Dossey, *Be Careful What You Pray For, You Just Might Get It*, HarperSanFrancisco, San Francisco, 1997.

CHAPITRE 5

1. R.D. Laing, *Self and Others*, Pantheon, New York, 1970.

2. E. Berne, *Des jeux et des hommes, psychologie des relations humaines, op. cit.*

3. J.Q. Wilson, et R.J. Herrnstein, *Crime and Human Nature: The Definitive Study of the Causes of Crime*, Touchstone/Simon and Schuster, New York, 1985.

4. J. Hillman, *We Had a Hundred Years of Psychotherapy — and the World's Getting Worse*, HarperSanFrancisco, San Francisco, 1992.

CHAPITRE 6

1. C.G. Jung, *Psychology and Religion*, Yale University Press, New Haven, Connecticut, 1938. A.W. Watts, *Psychotherapy East and West*, Random House, New York, 1975. D.T. Suzuki, *Introduction to Zen*, Grove/Atlantic, New York, 1987.
2. P. Yogananda, *Autobiographie d'un yogi*, 9e édition, Adyar, 1989. J. Krishnamurti, *Think on These Things*, Random House, New York, 1975. R. Dass, *Be Here Now*, Lama Foundation, San Cristóbal, Nouveau-Mexique, 1971.
3. G.K. Chesterton, *St. Francis of Assisi*, Doubleday, New York, 1987. Maître Eckhart, *Treatises and Sermons of Meister Eckhart*, Hippocrene, New York, 1983. E. Swedenborg, *Scientific and Philosophical Treatises*, Swedenborg Foundation, West Chester Pa., 1991. E. Bucke, *La Conscience cosmique*, Troisième Millénaire, 1989.
4. S.P. Springer et G. Deutsch, *Left Brain, Right Brain*, W.H. Freeman, New York, 1981.
5. M. Murphy, *Golf in the Kingdom*, Penguin Books, New York, 1972.
6. A.W. Watts, *L'Esprit du zen*, traduit par M.B. Jehl, Dangles, 1976. A.W. Watts, *Wisdom of Insecurity*, Random House, Paris, New York, 1968.

CHAPITRE 7

1. J. Hillman, *The Soul's Code*, Random House, New York, 1996.

2. D. Gaines, *Teenage Wasteland: America's Dead End Kids*, Harper Collins, New York, 1992.
3. M. Williamson, *A Return to Love*, HarperCollins, New York, 1992.
4. B. Weiss, Many, *De nombreuses vies, de nombreux maîtres*, J'ai lu, Paris, 1991.
5. W.W. Dyer, *What Do You Really Want For Your Children?* William Morrow, New York, 1985.

CHAPITRE 8

1. C. Sagan, *A Demon Haunted World*, Random House, New York, 1995.
2. M. Murphy, *The Future of the Body*, J.P. Tarcher, Los Angeles, 1992.
3. K. Horney, *The Neurotic Personality of Our Time*, W.W. Norton, New York, 1993.
4. P. Koch-Sheras, *Dream Sourcebook: An Eye Opening Guide to Dream History*, Theory and Interpretation, Lowell House, Los Angeles, 1995.
5. M. Murphy, *The Future of the Body, op. cit.*
6. S. MacLaine, *Out on a Limb*, Bantam, New York, 1993.
7. M. Murphy, *The Future of the Body, op. cit.*
8. V. Frankl, *Man's Search for Meaning*, Buccaneer, New York, 1993.

CHAPITRE 9

1. M. McLuhan, *The Medium is the Message*, Simon and Schuster, New York, 1989.
2. M. Buber, *I and Thou*, Simon and Schuster, New York, 1984.

3. M. Shaw, *Group Dynamics*, McGraw-Hill, New York, 1980.
4. B. Stokes, *Helping Ourselves: Local Solutions to Global Problems*, Norton, New York, 1981.
5. J. Sanford, *Invisible Partner*, Paulist Press, Mahwah, N.J., 1980.
6. M. Beattie, *Vaincre la codépendance*, J.C. Lattès, Paris, 1991.
7. H. Hendrix, *Getting the Love You Want*, HarperCollins, New York, 1990; *Keeping the Love You Find*, Pocket, New York, 1993.
8. H. Schucman et W. Thetford, *A Course in Miracles*, Foundation for Inner Peace, Glen Ellen, Californie, 1976.

CHAPITRE 10

1. C. Fillmore, *Prosperity*, Unity, Lee's Summit, Missouri, 1995; *Atom Smashing Power of the Mind*, Unity, Lee's Summit, Missouri, 1995. N. Hill, *Master Key to Riches*, Fawcett, New York, 1986; *You Can Work Your Own Miracles*, Fawcett, New York, 1996. N.V. Peale, *In God We Trust*, Thomas Nelson, Nashville, Tennessee, 1995; *God's Way to the Good Life*, Keats, New Canaan, Connecticut, 1974.
2. J. Rifkin, *La Fin du travail*, La Découverte, Paris, 1996.
3. « Work and Family », *Wall Street Journal*, supplément spécial, 31 mars 1997.
4. E.F. Mallove, « Is New Physics Needed », *Infinite Energy Magazine*, novembre/décembre 1996.
5. W. Greider, *One World, Ready or Not*, Simon and Schuster, New York, 1997.

6. R. Gerber, *Vibrational Medicine*, Bear and Co., Santa Fe, Nouveau-Mexique, 1988.
7. M. Murphy, *The Future of the Body*, op. cit.

CHAPITRE 11

1. Sondage Gallup, 1991, université du Connecticut, Roper Center.
2. K. Ring, *En route vers Oméga*, Robert Laffont, 1991.
3. Morse, *Transformed by the Light*.
4. E. Becker, *Escape from Evil*, op. cit.
5. R.A. Monroe, *Le Voyage hors du corps*, éditions du Rocher, Paris, 1989.
6. R. Montgomery, *A World Beyond*, Fawcett Crest/Ballantine, New York, 1985.
7. K. Ring, *En route vers Oméga*, op. cit.
8. I. Stevenson, *Children Who Remember Previous Lives*, University Press, Charlottesville, Virginie, 1987.
9. B. Weiss, *De nombreuses vies, de nombreux maîtres*, J'ai lu, Paris, 1991.

CHAPITRE 12

1. M. Ivins, « Long and Short of Corporate Welfare », *Minneapolis Star Tribune*, 1er décembre 1994.
2. D. Boyett, « Summit May Point toward Better Future », *Orlando Sentinel*, 27 avril 1997.
3. M.F. Pols, « City Officials Encourage Efforts for Community Based Policing », *Los Angeles Times*, 17 janvier 1995.

4. P. Hawken, *The Ecology of Commerce*, Harper-Business, New York, 1993.
5. S. Gilbert, «America Tackles the Pesticide Crisis», *New York Times*, 8 octobre 1989.
6. A. Weil, *Optimum Health*, Knopf, New York, 1997.
7. T.P. Healy, «Dividends Reaped from Investing in Environment», *Indianapolis Star*, 6 octobre 1996.
8. American Holistic Medical Association, Raleigh, Caroline du Nord; American Association of Naturopathic Physicians, Seattle; Canadian Naturopathic Association, Etobicoke, Ontario; Physicians' Association for Anthroposophical Medicine, Portland, Oregon; Weleda, Inc., Congers, N.Y.; World Research Foundation, Sherman Oaks, Californie.
9. Anthroposophical Society in America, Chicago; Environ Associates, Chestnut Ridge, N.Y.; ADR Options, Philadelphie; Coast to Coast Mediation Center, Encinitas, Californie.
10. B. et J. Guggenheim, *Hello from Heaven*, Bantam, New York, 1995.

Table

tidiennes. L'importance d'élever spirituellement les autres. Élever spirituellement les membres d'un groupe. La dynamique d'un groupe idéal. Problèmes courants dans les groupes. Les groupes d'entraide. Les soins et la santé. Trouver un groupe. La relation amoureuse. La lutte pour l'énergie. Intégrer le masculin et le féminin. Se sentir bien tout seul. Les relations en cours. L'art d'être parent. Restez centré pendant que vous apprenez la discipline à vos enfants. Pourquoi nos enfants nous ont-ils choisis ? Une vision plus globale du rôle parental. Vivre la nouvelle éthique.

locaux et le terrorisme. Transformer la culture. Les emplois et les métiers. Fusionner les dimensions. Conserver la Vision.